살맛나는 세상에 펼쳐진
아름다운 인생

살맛나는 세상에 펼쳐진 아름다운 인생

발 행 | 2024년 1월 25일
저 자 | 원광우
펴낸이 | 한건희
펴낸곳 | 주식회사 부크크
출판사등록 | 2014.07.15.(제2014-16호)
주 소 | 서울시 금천구 가산디지털1로 119 SK트윈타워 A동 305호
전 화 | 1670-8316
이메일 | info@bookk.co.kr

ISBN | 979-11-410-6798-4

자기성찰로 일상 속 의미를 찾아내는 힐링 에세이

살맛나는 세상에 펼쳐진 아름다운 인생

원 광우 지음

BOOKK

차례

슬기로운 일상생활

아름다운 혼자생활

조화로운 부부생활

지혜로운 사회생활

서문

  세상을 살다보면 요지경이라는 말이 결코 헛말이 아님을 느끼는 경우가 허다하다. 상상도 할 수 없던 일이 벌어지는가 하면, 기대하지도 않았던 행운이 찾아오기도 하고, 예기치 않은 불행과 맞닥뜨리기도 한다. 난 그 모든 일이 결코 우연에서 비롯되지 않는다고 믿는 사람 중 하나다. 결과에는 반드시 원인이 있기 마련이라 생각한다는 말이다. 단지 그걸 우리가 못보고 스쳐 지나는 바람에 깨닫지 못했을 뿐. 그래서 가능하면 무슨 일이든 깊게 들여다보려고 노력하는 편이다. 덕분에 사소한 일에도 나름 의미를 부여하려는 습관이 생겼다. 그러자 새로운 세상이 열리기 시작했다. 주변에서 일어나는 일상의 일들에서 크든 작든 소중한 깨달음을 얻게 된 것이다. 그냥 흘려버리기에는 너무 아까운 것들이었다. 그것들을 일기를 쓰듯 글로 남겨보자는 생각이 들었다. 그렇게 한 편 두 편 모으다보니 그 모든 내용들이 제법 그럴싸한 하나의 문장으로 압축되었다. 살맛나는 세상 어디에나 아름다운 인생이 펼쳐진다.

슬기로운 일상생활

매일 10킬로미터를 달릴 수 있는 비결

 누군가 날더러 취미가 무엇이냐고 물으면 난 서슴없이 마라톤이라는 대답을 내놓는다. 하루에 10킬로미터 이상 달리기를 목표로 삼고 있을 뿐 아니라 아주 특별한 상황이 발생하지 않는 한 매일같이 그 거리를 달리면서 실천하고 있기 때문이다. 주로 아침에 달리지만 여의치 않은 날은 낮이고 저녁이고 가리지 않는다. 미세먼지가 심각한 날도 비나 눈이 퍼붓는 날도 예외가 아니다. 그때면 근처의 헬스장으로 가서 그 만큼의 운동량을 트레드밀로 해결한다. 하다못해 헬스장까지 쉬어서 그마저 여의치 않는 날이면 아파트의 지하주차장을 맴돌기도 하고 계단을 뛰어 오르내림으로써 운동량을 대신하기도 한다. 그럴 때는 10킬로미터 달리기를 150층 아파트의 계단으로 환산해 지상에서 26층인 우리 집까지를 여섯 번 반복해가며 오르내린다. 그러니 내가 달리기를 멈추는 특별한 상황이라는 건 일 년에 기껏해야 손가락으로 꼽을 정도라 말할 수 있다.

아내는 이런 나를 운동중독이라고 한다. 하긴 아침에 달리기를 하지 않은 날은 하루 종일 강박관념에서 좀체 벗어나지 못할 뿐 아니라 심리적인 불안감에 휩싸일 지경이니 틀린 말은 아니다. 그렇게 살아온 날이 벌써 이십 년 가까이 된다. 이런 말을 하면 사람들은 대단하다는 찬사와 함께 이제 10킬로미터를 달리는 일쯤이야 누워서 떡먹기일 거라며 내 체력을 부러워하곤 한다. 그때마다 나의 대답은 한결같다. 나에게 10킬로미터라는 거리는 여전히 달리기 힘든 거리라고.

그 말에 모두 놀라는 표정을 짓지만 그것이 결코 겸손을 가장한 말은 아니다. 물론 그동안 달리기를 습관화하면서 내 체력이 비약적으로 향상된 것만은 틀림없는 사실이다. 폐활량이 늘고, 허리 사이즈가 줄었으며, 허벅지와 종아리의 근육은 발달했다. 덕분에 젊은 시절 감히 꿈도 꾸지 못하던 풀코스마라톤을 세 차례, 하프코스를 오십여 차례 가까이나 완주할 수 있었다. 기록도 그다지 나쁘지 않다. 풀코스의 경우 평균 세 시간 오십분, 하프코스는 한 시간 사십분 대를 기록하고 있으니 말이다.

하지만 그것은 내 능력의 한계치가 늘어났다는 의미일 뿐 힘들지 않다는 뜻이 아니다. 달릴 때마다 고통은 단 한 번도 빠지지 않고 찾아와 나를 괴롭힌다. 장거리를 달리다보면 죽을 만큼 힘들다는 사점(死點)이라는 고비가 찾아온다. 그런데 그 지점을 넘어서면 호흡도 편안해지고 근육통도 사라지면서 거의 무아지경에 이르는 러너스하이(Runner's High)라는 쾌락의 지점에 도달한다고 한다. 달린 경력이 길수록 그 시기는 빨리 도래한다는 말도 있다. 하지만 난 그 말을 결코 믿지 않는다. 유달리 무뎌서인지는 모르지만 숱한 세월을 달리면서 난 단 한 번도 그 쾌락을 경험한 기억이 없기 때문이다. 달리는 내내 나에게는 사점만이 반복해 찾아왔을 뿐이다. 10킬로미터가 결코 가까운 거리가 아닌 만큼 그때라고 그들의 말이 다를 까닭이 없으련만.

 덕분에 달리기를 하기 위해 집을 나설 때마다 내 발걸음은 마치 도살장에 끌려가는 소의 것 마냥 천근만근이 된다. 오죽하면 마라톤 중에서 가장 힘든 거리가 42.195Km의 풀코스도 100Km나 200Km의 울트라코스도 아닌, 달리겠다고 마음먹은 그 위치에서 달리기를 시작하려는 지점까지 가는 거리라는 말에 적극적으로 공감하게 되었을까? 그런 까닭에 매일 아침 내 몸속에서는 오늘 하루쯤 쉬는 게 어떠냐며 유혹하는 본능적 자아와 어떤 일이 있어도 참고 뛰어야한다는 이성적 자아가 다툼을 벌인다. 다행인 점인 아직까지는 이성적 자아가 좀 더 강한 의지를 발휘하고 있다는 점이다.

 사실 그 배경에는 남들이 알지 못하는 나만의 피눈물 나는 노력이 자리하고 있다. 어떡하든 하루의 정해진 목표를 채우기 위해 별의별 수단이 다 동원된다. 대표적인 것이 달리는 도중에 달린다는 사실을 잊으려 애를 쓰는 것이다. 원래 고통이란 그 느낌을 인지할수록 더욱 심해지고 무의식적으로 회피하려든다. 달리기가 힘들다고 느낄수록 더욱 힘들어져 당장 멈춰서고 싶어지는 것이다. 반면 그 지긋지긋한 고통에게도 약점은 존재한다. 놈은 멀티태스킹에 다소 취약한 면모를 드러낸다. 적어도 다른 생각을 하는 동안 병행해서 찾아오는 경우는 드물다. 그 말은 고통의 순간 억지로라도 다른 기억을 되살릴 수만 있다면 그걸 잊을 수 있다는 뜻이다. 지워지지 않는 펜으로 쓴 글을 덧칠로 지워버리거나, 컴퓨터 파일의 내용을 덮어쓰기함으로써 파일삭제의 효과를 내는 것과 같은 방법이다. 실연의 아픔을 새로운 사랑으로 이겨내는 것 또한 동일하다. 또 이럴 때 생각의 구조가 복잡하면 할수록 그 효과는 크다. 복잡할수록 몰입도가 높아져 고통의 영역을 담당하던 뇌세포가 그쪽으로 집중하게 될 테니까.

 고통이라는 느낌으로부터 뇌세포들을 쫓아내기 위해 내가 주로 사용하는 방법은 글감을 떠올리는 것이다. 달리기가 시작되면 난 새로운 글의 소재를 발견하기 위한 두뇌활동을 개시한다. 소재를 찾은 후에는 어떠한 내용을 쓸 것인지 얼개를 그리고 그 첫 문장은 어떻게 시작하며 끝은 어떻게 맺을지를 고민한다. 어떤 날은 아내와 함께 할 여행계획을 짜기도 한다. 여행지의 아름다운 풍경과 맛있는 음식들을 머릿속으로 그리는 사이 시간은 의외로 수월하게 지나간다. 때로는 제법 긴 시(詩) 한 편을 미리 메모해서 그것을 외며 달리기도 한다. 시를 외는 것은 글쓰기에 많은 도움을 줄 뿐 아니라 노화로 인해 하루가 다르게 퇴화되어가는 기억력을 강화시키는데 많은 도움이 된다. 그런 방법들마저 잘 통하지 않으면 괜히 천 단위 만 단위의 숫자들을 서로 곱하고 나누는 셈을 하기도 한다. 성공하든 않든 그러다보면 어쨌든 상당한 시간이 흘러가고 어느새 목표지점에 도달해 또 하루를 이겨냈다며 안도하는 한숨을 내쉴 수가 있다.

 사람은 끊임없이 쾌락을 추구하는 동물이다. 쾌락은 편안함을 통해 누려지는 감정이다. 편안함은 익숙함에서 생겨나고 익숙함은 습관화를 통해 배양된다. 한번 습관에 배이면 잘 벗어나지 못하는 이유도 여기에서 연유한다. 문제는 쾌락이 반복에 쉬 싫증을 낸다는 점이다. 몇 차례만 되풀이되어도 쾌락은 금방 흥미를 잃어버려 훨씬 강도가 센 변화된 다른 것을 요구한다. 변화를 추구하기 위해서는 낯설음이라는 불편을 감내해야하고 그 과정에서 또 고통이 수반된다. 결국 다람쥐 쳇바퀴 돌 듯 순환현상이 일어난다. 세상에 힘들지 않은 일이 없는 건 이 때문이다. 힘든 마라톤도 습관화라는 과정을 거쳐 익숙해지면 편안해져 수월할 것 같지만 결코 그러지 않은 것 역시 이런 논리에서 출발한다.

 그렇다면 건강을 위해 달리기를 계속할 수 있는 특별한 비결은 딱히 없는 거나 마찬가지다. 그저 몰입할 수 있는 나만의 무언가를 찾아 고통을 줄이거나 피하면서 의지력을 키워나가는 것만이 최선이다. 그렇다고 너무 실망할 필요는 없다. 어제도 그제도 힘들었지만 다 견디고 이겨낼 수 있었다는 자신감과, 그렇게 이겨냄으로써 얻은 성취감과 보람을 잊지 않는다면 의지력은 배가될 것이기 때문이다. 고통이 클수록 결과물은 더욱 값지며 그걸 이겨낸 행복감은 훨씬 크다. 그걸 명심하는 한 고통과 맞서려는 용기는 더욱 충만해지고 두려움은 사라질 것이 분명하다. 비단 달리기뿐 아니라 그 어떤 목표라도 그곳을 향해 나아가는 길에 왕도는 없다. 숱한 갈래길을 두고 각자에게 알맞은 걸 선택할 따름이다.

잠시도 기다릴 필요 없는 저스트 인 타임 커피제공 서비스

 실직의 아픔을 겪을 때였다. 매일 집에서 아내와 눈을 마주치는 것이 부담스러워 나만의 도피처를 찾고 있었다. 그러다 집 근처에 있는 아담한 카페를 하나 발견했다. 산책을 하다 커피생각이 간절해 멋모르고 찾았는데 의외로 커피향이 향긋했고 2층의 공간에는 사람들이 드물어 이것저것 눈치를 보지 않아도 되는 것이 편안했다. 커피를 무료로 리필해준다는 점도 좋았다. 나만의 아지트로 삼기에 조금도 부족함이 없었다.

 그날 이후 매일같이 오후시간을 그곳에서 보냈다. 더러 이력서며 자기소개서를 작성하기도 하고, 혹시나 입사제안을 하는 회사가 있을까 텅 빈 메일함을 열어보기도 하고, 무료한 시간을 때울 수 있는 영화나 드라마를 볼 수 있는 사이트들을 배회하면서. 시간이 지날수록 카페는 나의 조그만 사무실이자 보금자리로 변해갔다.

 그러던 어느 날이었다. 커피를 주문하기 위해 1층의 카운터 앞에 섰을 때였다. 아르바이트생이 깍듯이 인사를 하며 아는 체를 하더니 겸연쩍은 표정을 지으며 말을 건넸다. 2층 계단옆 자리에 다른 사람이 앉았는데 괜찮으시겠어요? 사람들이 오르내리는 계단이 바로 옆에 있기도 하거니와 바깥 풍경이 전혀 보이지 않는 어두운 자리라 사람들이 거의 앉지 않는 그곳은 내가 매일 앉는 자리였다. 카운터 바로 옆에 놓인 태블릿 화면에는 CCTV를 통해 비쳐지는 2층의 공간이 고스란히 드러나 있었다. 그걸 통해 그는 나를 주시해왔던 모양이다. 그럼에도 불쾌한 생각은 들지 않았다. 그저 그가 나를 단골로 인정해 친절을 베풀고 있는 것이라 여겼다.

상관없다고 말하자 그는 또 한 번 정곡을 찔러왔다. 따뜻한 아메리카노 드실 거죠? 즐겨 앉는 좌석을 꿰고 있을 정도면 즐겨 마시는 음료가 무엇인지 아는 것이 뭐 그리 신기할까? 이번에도 난 그저 웃음을 띠며 고개를 끄덕거리는 것으로 답변을 대신했다. 하긴 매일 같은 패턴을 반복하는 칸트의 생활을 일삼았으니 그다지 놀랄 일도 없었다. 그날을 기점으로 난 카페에 들어서면서 별도의 주문을 할 필요조차 없었다.

며칠 후였다. 여느 때와 다름없이 주문을 마쳤는데 그는 주문한 음료가 준비되었음을 알리는 진동벨을 주지 않은 채 신용카드만을 되돌려주었다. 의아한 표정을 짓는데 마치 그 이유를 설명이라도 하듯 그가 말했다. 커피 바로 드릴게요. 2층까지 올라갔다가 커피가 준비되면 다시 1층으로 내려와 커피를 받아가야 하는 불편을 매번 느끼던 나로서는 여간 반갑지 않았다. 오늘따라 다른 사람이 앞서 주문했다가 취소한 커피가 있었던 것일까? 그러나 나의 그 추측은 틀린 것으로 판명되었다.

 다음날도 그 다음날도 그는 미리 주문이라도 해놓은 것처럼 결제와 동시에 커피를 내게 안겨주었다. 내가 오는 시간을 예측하고 미리 커피를 추출하는 것일까 생각도 했지만 그럴 확률은 적었다. 왜냐하면 시간의 정확도 측면에서 난 칸트가 아니라 칸트 발끝조차 따라가지 못하는 사람이었기 때문이다.

 궁금증이 풀린 건 며칠이 지난 뒤였다. 카페의 문을 밀고 들어서는데 그는 벌써 원두를 분쇄기에서 갈아 용기에 분말을 담은 후 커피 머신에 장착하고 있었다. 주변에 아무도 없었으니 분명 내 커피를 준비하는 것이 틀림없었다. 카운터에서 카페 앞 사거리가 훤히 보이는 만큼 횡단보도를 건너는 나를 발견하고는 준비에 임한 것이리라. 별 것 아니지만 1,2층을 오가는 불편함을 주지 않으려는 그의 마음 씀씀이는 고마워하기에 충분했다.

 문제는 그날따라 내가 커피를 마실 수 없는 처지에 놓였다는 점이다. 속 쓰림이 심해 병원에 갔다가 역류성식도염이라는 진단을 받고는 약물을 복용하는 동안 탄산과 커피를 자제하라는 소견을 의사로부터 들은 것이다. 난감한 가운데 카운터 앞에 섰다. 그의 입에서 예의 그 질문이 나왔다. 따뜻한 아메리카노 드시고 가시죠? 쉬 대답이 나오질 않았다. 아니라고 답해야하지만 그가 당혹해할 모습이 걱정스러웠고 그렇다고 답하자니 의사의 말이 귓전을 맴돌았다. 잠시 망설였지만 난 얼떨결에 그렇다고 대답하고 말았다.

 그날 난 주문한 커피를 한 모금도 마시지 못했다. 그렇다고 쓸데없이 낭비한 돈이 아깝지도 않았다. 그의 친절비용으로 여기면 그뿐이었다. 다만 당장은 며칠 계속 커피를 마시지 못할 터인데 오늘처럼 계속 커피를 버릴 수는 없었다. 돌아가는 길에 내일부터는 미리 커피를 준비하지 말라는 말을 할 수도 있겠지만 그건 남의 영업비밀을 침해하는 듯한 느낌이 들었다. 주문과 동시에 커피를 받을 수 있는 Just in Time 시스템을 포기해야한다는 점도 아쉬웠다.

해답은 단순한 곳에 있었다. 약을 복용해야하는 당분간 단골카페로부터 해방을 선포하는 방법이었다. 며칠간은 다른 카페를 찾아가기로 했다. 갑자기 모습을 보이지 않으면 그가 어떤 생각을 할지는 모르지만 어쨌든 커피가 버려지는 일만큼은 피할 수도 있고 그의 친절을 수포로 돌리는 일도 막을 수 있었다. 집으로 가기 위해 커피 잔을 반납창구로 밀어 넣을 때였다. 안녕히 가세요. 그의 따뜻한 목소리가 들렸다. 난 고개를 돌려 미소를 지었다. 그리곤 마음속으로 인사를 했다. '내일 봐.'가 아니라 '다음에 봐.'였다.

인생이 아름다워지는 오감(五感) 활용법

동유럽을 여행할 때였다. 마지막 날 비엔나의 벨베데레 궁전을 찾았다. 역사적 의미를 지닌 궁전이지만 구스타프 클림트(Gustav Klimt)의 '키스'라는 작품이 전시되어있어 더욱 유명해진 곳이다. 나의 방문목적 중 가장 큰 비중을 차지한 점 역시 그 그림의 관람에 있었다. 그림은 나의 기대를 저버리지 않았다. 황금빛 색상은 말할 것도 없고 여인의 구부러진 발가락 끝 모습에서는 첫 키스의 경이와 황홀감이 고스란히 묻어났다. 마치 내가 그림속의 여인이 된 듯 진한 감동이 물밀 듯이 밀려오기도 했다.

 벅찬 가슴을 애써 진정시키며 관람을 이어가는데 이번에는 세로방향으로 길쭉한 캔버스에 그려진 한 무리의 그림이 시야에 잡혔다. 모두 다섯 개였는데 그림마다 반나체의 여인이 화면을 가득 채우고 있을 뿐 아니라 화풍이며 배경이 비슷해 연작으로 보였다. 전시된 장소가 장소이니 만큼 예사로운 그림이 아닐 거라는 생각은 잠시 들었지만 '키스'에 비하면 그저 평범할 따름이어서 한 번 쓱 눈길을 주는 것으로 방문자의 예의를 대신하며 무시하고 지나쳐갔다.

내가 그 그림을 평가 절하한 배경에는 이유가 있었다. 비록 미술백치이긴 하지만 나에게도 나름 평가의 기준이 존재했던 것이다. 그건 특별히 어디서 배워 습득한 것이 아니라 남의 작품들을 감상하면서 자연스레 터득한 것이었다. 거기에 따르면 훌륭한 작품은 다음의 세 가지 사항 중 적어도 한 가지 이상을 충족시켜야했다. 보는 순간 아름답다는 느낌이 강하게 들거나, 아무나 쉽게 흉내 낼 수 없거나, 무언가 강한 메시지가 전달되어오거나. 그 그림은 어디에도 해당하지 않았다. 여인들이 예쁘긴 했지만 그걸 아름다움으로 치부하기에는 부족함이 없지 않았고, 어떤 화가도 그런 종류의 그림은 그릴 수 있어보였으며, 작품 속에 숨겨진 뜻을 짐작하는 일 또한 어려웠다. 그러니 관심도는 떨어질 수밖에 없었다.

지나다 우연히 옆에 붙은 그림의 설명을 보게 되었다. Hans Makart / Five Senses. 아니나 다를까 화가의 이름은 발음조차 빨리 할 수 없을 정도로 낯설기만 했다. 다만 제목이 전해주는 느낌은 조금 달랐다. 오감(五感)이라고? 그림의 수와 일치하는 다섯이라는 숫자에 호기심이 일어났다. 고개가 저절로 그림을 향해 되돌아갔다. 그때였다. 캔버스 하나하나에서 청각, 촉각, 시각, 미각, 후각의 다섯 가지 감각이 각각 나뉘어 이미지로 되살아나고 있었다. 난 멈춰 섰고 한동안 그곳에서 떠날 줄을 몰랐다.

급기야 감상은 관찰의 단계로 접어들었다. 집중력은 자신의 행동으로 감각을 표현하는 다섯 명의 여인에게서 뚜렷한 차이를 발견하게 해주었다. 청각과 시각, 후각을 표현하는 여인들의 동작은 자연스러웠지만 촉각과 미각을 표현하는 여인들의 동작은 웬일인지 작위적인 느낌이 강했다. 그것이야말로 이 그림의 핵심이 아닐까 싶었다. 귀, 눈, 코가 수동적 감각기관인데 반해 손과 입은 능동적 감각기관이라는 걸 알리려는 시도. 우리가 일상적으로 사용하는 언어도 결코 다르지 않았다. '들린다', '보인다', '냄새 난다'는 피동적 표현이지만 '만진다', '맛본다'는 그렇지 않다. '맛본다'를 입의 다른 기능인 '말한다'로 바꿔 표현해 봐도 마찬가지다.

별것 아닌 것 같지만 둘 사이의 차이는 굉장히 중요한 점을 시사하고 있었다. 인간의 행위 가운데 부정적인 결과를 초래하는 대부분은 소극적 행위의 주체인 귀, 눈, 코를 통해서가 아니라 적극적 행위의 주체인 손과 입을 통해 이루어진다. 구설에 오르거나 비난의 대상이 되는 경우를 살펴보면 거의 모두 손과 입을 잘못 놀려서인 것이다. 그건 우리가 저지르는 잘못이 어쩔 수 없는 상황에서 빚어지는 실수 때문이라기보다 욕망을 충족시키기 위한 의지에서 비롯된다는 걸 말해준다.

그림을 다시 한 번 쳐다보았다. 신의 선물인 오감을 전해주는 감각기관이 새로운 의미로 다가왔다. 화가가 전하고자 하는 메시지 또한 더욱 선명하게 울려 퍼졌다. 눈은 즐거움을 전해주고 코는 기대감을 안겨주며 귀는 깨달음을 선사하지만 입은 후회를 낳고 손은 말썽을 피우기 쉽다. 매사 눈과 귀와 코는 활짝 열어두되 손과 입은 가능한 묶고 닫아야하는 이유는 바로 여기에 있다. 그날부터 한스 마카르트의 '오감'은 내가 가장 좋아하는 그림이 되었다.

드라마를 좋아하세요?

 언젠가부터 드라저씨가 되었다. 아마도 K드라마가 전 세계적으로 선풍적인 인기를 끈다는 얘기가 들리면서부터였을 것이다. 저녁 늦은 시각에 TV를 보는 아내 옆에 앉아있다 우연히 본 것이 계기가 되었다. 때로는 애잔하게 또 때로는 통쾌하게 만드는 장면들은 나를 푹 빠져들게 만들어버렸다. 결말은 언제나 예상을 벗어나지 않았지만 순간순간마다 사람을 가슴 졸이게 하고 궁금증을 유발시키는 것이 흥미진진했다.

 좋은 공부가 되겠다는 생각마저 들었다. 직업적인 작가는 아니어도 글쓰기를 즐겨하는 나였다. 그런 나에게 가장 곤혹스런 일 중의 하나는 글감을 찾는 것이었다. 드라마는 이따금씩 나의 고질적인 고민들을 해소해주는 좋은 열쇠가 되기도 했다. 등장인물들이 내뱉는 대사에서 또 기발한 소재에서 그리고 흥미를 배가시키는 극의 구성에서 난 종종 내 글의 힌트를 얻곤 했다. 드라마폐인 운운하며 그 폐해를 주장하는 일부사람들이 있지만 내가 절대 그들의 의견에 동의할 수 없는 건 이런 이유에서다.

무슨 일이든 많은 시간을 투입하고 자주 하다보면 저 나름의 전문가가 되는 법이다. 드라마와 함께 하는 세월이 늘면서 나 역시 드라마의 고수가 된 것인지 나만의 감상비결이 생겼다. 덕분에 드라마를 보면서 후회하거나 실망하는 경우가 거의 없게 되었다. 그 말은 적어도 드라마로 인해 나의 귀중한 시간이 낭비되는 경우가 없다는 뜻이기도 하다. 그걸 소개하자면 이러하다.

가장 먼저 난 본방사수를 엄금한다. 드라마에 구속되는 것 자체가 싫은 까닭이다. 정해진 시간에 TV 앞에 앉는 행동이야말로 시간의 노예가 되는 일이다. 당연히 내가 이용하는 건 OTT(Over The Top) 서비스다. 그 중에서도 작품은 종영된 걸 선택한다. 종영되지 않은 경우 이미 게시된 영상을 다 보고나면 자연히 다음 편을 기다리면서 얽매이게 될 확률이 높다.

주말드라마나 아침드라마는 가급적 피한다. 대체로 그것들은 전체 횟수가 많은 편이다. 50회를 넘는 것은 물론 더러 100회가 넘는 경우도 있다. 이런 드라마의 문제점은 대부분 각본이 완성된 상태에서 첫 시작을 하는 것이 아니라는 것이다. 한참 드라마가 전개되는 과정 중에 작가는 각본을 이어간다. 그건 내용이 순수하게 작가의 의중에서 나오는 것이 아니라 시청률에 영향을 받는다는 말이 된다. 모두가 그렇다는 것은 아니지만 그리 되는 순간 구성이 뒤죽박죽되거나 스토리의 앞뒤연결이 매끄럽지 않기 십상이다.

공인된 데이터를 이용하는 것도 빠뜨리지 않는다. 데이터는 말 그대로 과학이다. 드라마에서 가장 중요한 데이터는 시청률과 시청자 평점이다. 많은 사람이 좋아하는 데는 당연히 합당한 이유가 따르는 법이다. 다행히도 요즘같이 인터넷이 발달한 세상에 그걸 찾아보는 건 그다지 어려운 일이 아니다. 종영된 드라마라면 더욱 그러하다. 뿐만 아니라 드라마별로 비교도 할 수 있으니 자신만의 적당한 기준을 설정하는 일도 충분히 가능하다. 그런 상태에서 기준을 초과하는 것을 선정하면 된다. 다만 동일한 사이트에서 그 기준을 적용시켜야 데이터의 신뢰도가 높아진다는 점만 염두에 두면 된다.

 소설이든 웹툰이든 원작이 있는 것이라면 난 거의 무조건 선택하는 편이다. 기존의 작품을 드라마로 만들었다는 말은 그것이 방송사와 방송작가, PD와 같은 프로그램 관련자들이 하나같이 성공가능성을 높게 평가했다는 뜻에 다름 아니다. 재미와 수준을 보장하는 요소로 그것 이외에 무엇이 더 있겠는가. 일종의 흥행보증수표가 아닐 수 없다.

 드라마를 재미있고 유익하게 즐기기 위해서는 좋은 작품을 고르는 것도 중요하지만 감상하는 방식도 중요하다. 지금까지의 이야기가 선택에 초점이 맞춰져있었다면 지금부터는 어떻게 시청할 것인가를 두고 얘기해보고자 한다. 이것 역시 결코 소홀히 할 수는 없다. 그러는 순간 드라마의 재미는 반감될 게 뻔하기 때문이다.

 내가 매일같이 습관처럼 행하는 일 중에는 반신욕과 달리기도 포함되어있다. 이 둘의 공통점은 건강에 도움이 되지만 그 순간만큼은 꽤나 힘이 든다는 점이다. 달리기의 힘듦이야 말할 것도 없지만 뜨거운 물속에서 삼십여 분을 견디는 것 또한 여간 인내심이 필요한 게 아니다. 그때마다 난 인내심의 도우미로 드라마를 이용한다. 바깥에서 달릴 때야 그렇지 않지만 실내에서 트레드밀로 달리기를 대신할 때면 드라마와의 병행은 충분히 가능하다. 반신욕 중에도 욕조 덮개만 준비하면 태블릿이나 노트북으로 드라마를 시청하는 일이 간단히 해결된다. 드라마시청은 그렇게 고통을 희석시키는 역할을 담당한다.

　많은 사람들이 걱정하는 드라마폐인은 몰아보기 때문에 발생한다. 드라마의 각본쓰기 정석 중에는 한 회분이 끝나는 시점에 시청자들의 궁금증을 최대화시키라는 것이 있다. 그렇게 해야 다음 회의 시청을 쉽게 끌어낼 수 있기 때문이다. 사람들이 몰아보기를 하는 이유도 여기에서 기인한다. 나 또한 그런 경험이 많다. '프리즌 브레이크'라는 미국드라마를 보면서 도저히 시청을 중단할 수 없어 하루 종일 거기 매달린 적도 있다. 같은 우를 범하지 않기 위해 드라마보기 중단지점으로 난 한 회의 종료지점이 아닌 중간지점을 선택한다. 궁금증을 줄임으로써 쉽게 모니터를 끄게 하려는 일종의 묘수다. 사실 그 방법으로 난 상당한 효과를 보는 중이다.

　물론 이 모든 방법들이 만능이라 생각지는 않는다. 우리 주변에는 그 어떤 것도 변화시키고 마는 세월이라는 놈이 굳건하게 버티고 있기 때문이다. 그로 인해 드라마의 형태나 소재, 방영방식, 매체와 같은 요소들은 앞으로 끊임없이 진화해나갈 것이다. 그럴 때면 감상법 또한 적절히 업데이트되어야 한다. 변화에 대처하는 가장 훌륭한 방안은 나 자신이 변화하는 것이다. 또 사람마다 엄연히 개성이라는 게 존재하는 점도 부정할 수 없다. 이 세상에 모든 사람들의 모든 병을 고치는 만병통치약이란 없다. 중요한 건 자신에게 맞는 틀을 완성하는 일이다. 그 틀을 몇 가지로 요약 정리할 수 있다면 그것이야말로 누구든 드라마감상의 고수로 인도해주는 훌륭한 매뉴얼이 될 것이다. 물론 그 과정 중에 실수를 범할 수도 있다. 시행착오라는 말도 그래서 생겨난 것이다. 하지만 실패하지 않기 위해 하는 실수쯤은 얼마든 감수할 수 있지 않을까? 어쨌든 모든 사람들이 드라마로 행복해지는 세상이 되었으면 한다.

독서근육 키우기 프로젝트

 운동을 열심히 하면 근육이라는 것이 생겨난다. 근육은 기초대사량을 늘려 쉽게 살이 찌지 않는 체질로 만들어 멋진 몸매를 만들어줄 뿐 아니라 보다 많은 에너지를 축적할 수 있어 지구력을 키우는데도 도움을 준다. 이렇게 체력이 향상되면 쉬 지치지 않고 운동을 계속할 수 있다. 그야말로 선순환이 이루어지는 셈이다.

 근육에는 비단 이런 물리적인 것만 있는 것이 아니다. 정신적인 활동에도 근육은 생성된다. 정치인들은 말하는 근육이 발달되어있고 성직자들은 기도의 근육이 발달되어있으며 작가들은 글쓰기 근육이 발달되어있다. 이런 정신적 근육 역시 오랜 세월의 노력으로 만들어진다. 그걸 본보기 삼아 나도 독서근육을 키워보리라 다짐한 적이 있었다. 이른바 독서근육 키우기 프로젝트다.

 처음에는 책 한 권을 완독하는 일이 그렇게 어려울 수가 없었다. 그러나 세월이 흐르면서 정말 거짓말처럼 독서는 습관으로 굳어갔다.

독서량이 많아진 것은 말할 것도 없고 책의 두께에 짓눌리지도 않게 되었으며 전집류의 책들도 쉽게 손이 갔다. 이 모든 것이 엉덩이의 힘이었다. 어떡하든 책과 마주하는 시간을 늘리려한 것이 비결이라면 비결이었다. 그 와중에 나만의 독서법이 만들어졌다. 분명한 건 이런 독서법이 독서량과 독서의 질을 한층 높여주었다는 점이다.

 내가 책을 선정하는 기준 중에 가장 우선시하는 것은 재미다. 물론 사람마다 천차만별이겠지만 어떤 종류의 재미든 그걸 느낄 때라야 독서를 지속할 수 있는 힘이 생긴다. 지루한 책을 계속 잡고 있어봐야 스트레스만 쌓일 뿐이다. 난 어떤 책이든 읽다가 지루함이 느껴지면 곧바로 그만두어버린다. 지루함은 독서의 최대 적이다.

 그런 의미에서 독서를 본격적으로 해보고자 하는 사람들이 책 권하기를 요청하면 난 서슴없이 생활 속 수필집이나 단편소설부터 시작할 것을 추천한다. 유익하다는 이유만으로 처음부터 골치 아픈 철학서적을 대하거나, 재미가 있다고 해도 전집류나 엄청난 부피의 책과 마주한다면, 지레 포기해버리거나 시작도 하기 전에 겁부터 집어먹을 공산이 크기 때문이다. 나 역시 그런 경험을 했기에 하는 말이다.

 책을 읽는 도중에는 집중력이 많이 요구된다. 그걸 위해 내가 읽는 책갈피 속에는 항상 메모지가 꽂혀있다. 거기에는 주로 등장인물들의 관계도가 그려진다. 외국서적이거나 두꺼운 책일수록 필요성은 더욱 커지는데 외국인들의 이름이란 게 우리에게 익숙지 않아 책의 내용을 이해하는데 심심찮게 장애물로 등장하기 때문이다. 특히 러시아 소설이 그러하다. 그들에게는 엄청나게 긴 본명 이외에도 애칭, 약칭들이 있어 여러 면에서 헷갈림을 안겨준다. 그런 측면에서 여러 가지 기호들과 함께 그려진 인물관계도는 인물, 사건, 배경을 이해하고 스토리의 기억을 이어가는데 필수불가결의 요소다.

메모 대상에는 가슴에 와 닿는 문구나 구절도 포함된다. 책읽기를 마치면 이것들은 따로 마련한 노트에 필사도 하고 외우려 노력도 한다. 그걸 기억하는 것은 유명시인의 시 구절을 기억하는 것만큼이나 글쓰기나 대화술에 많은 도움을 준다. 일거양득이자 일석이조가 아닐 수 없다. 이미 채워진 여러 권의 노트가 그동안 나에게 글쓰기의 소중한 자산이 되어 준 것 또한 부인할 수 없는 사실이다.

또 책을 다 읽고 나면 그것과 관계되는 영화나 드라마를 찾아본다. 유명작품이라면 대부분 원작을 바탕으로 한 영상물이 존재한다. 영상을 보면서는 책의 내용과 다른 부분이 있지 않은지 찾으려 애를 쓴다. 발견되면 그것이 어떻게 다른지도 정리해본다. 그건 책의 내용을 보다 오랜 시간 기억할 수 있게 만들어준다. 책을 읽는 것도 중요하지만 그 내용을 기억하는 일은 더욱 중요하다. 책의 내용을 기억하지 못한다면 독서의 목적 자체는 사라지는 것이나 마찬가지다.

뿐만 아니라 독후감을 쓰는 일도 잊지 않는다. 독후감이라 해서 뭐 그리 거창한 것은 아니다. 가끔 제대로 된 감상문의 형태를 띠는 경우가 있긴 하지만 어떨 때는 단 한 줄 평으로 그칠 때도 있고 또 어떤 때는 단순히 줄거리요약에 그치는 때도 있다. 형식과 길이에 구애받지 않고 그냥 책을 읽었다는 증표 내지는 완독한 후의 의무로 여기는 것이다. 별 것 아닌 것 같지만 나중에 이것들을 다시 대하면 책을 읽었을 때의 감동이며 스토리가 고스란히 되살아나는 일이 많다. 독후감이야말로 기억을 되살리는 마들렌 빵의 효과를 톡톡히 한다.

책을 읽다보면 유난히 재미가 있거나 감명을 깊게 받는 경우가 있다. 이럴 때는 연쇄반응을 이용해 그 감정을 이어간다. 필이 꽂힌 책의 작가가 쓴 책을 죄다 섭렵해버리는가 하면 유사한 종류 내지는 그 배경 전후에 해당하는 책을 점차 범위를 넓혀가며 찾아 읽는다. 김주영이나 조정래 작가의 소설을 깡그리 찾아 읽은 것도, 이윤기의 '그리스로마신화'를 읽고는 토마스 불핀치와 구스타프 슈바베의 것을 차례로 완독하기를 넘어 시오노나나미의 '로마인이야기'까지 내처 독파해버린 것도 그런 사례다. 민음사의 세계문학전집 중 200권을 읽겠다는 목표를 세운 뒤 지금까지 130여권을 읽어온 것도 서머싯 몸의 '인간의 굴레에서'를 읽은 것이 계기가 되었다.

독서습관을 배양하는 데는 환경도 굉장히 중요한 요소를 차지한다. 내 성향이 유별난지는 모르지만 나의 독서시간 중 상당부분은 침대에서 채워진다. 그 까닭에 독서하는데 조금도 불편함이 없도록 침대 주변을 꾸며놓았다. 아늑한 등받이 쿠션은 말할 것도 없고, 마음만 먹으면 간단히 켜고 끌 수 있는 스탠드에, 손만 뻗으면 책을 잡을 수 있는 책장이 침대와 맞닿아있는가 하면, 언제든 펼칠 수 있는 접이식 테이블과 그 위에는 메모지와 볼펜이 항상 놓여있다. 특별히 준비를 하지 않아도 언제든 책을 접할 수 있는 그 분위기는 잠자기 전 손에 책 쥐기를 습관화되도록 만든 일등공신이 아닐 수 없다.

또 대중교통을 이용할 때마다 내 어깨에는 책과 메모지, 볼펜이 든 가방이 항상 걸려있다. 물론 이동하면서 생기는 무료함을 이기기 위한 목적이 더 크지만 그건 자투리시간을 활용하는데도 꽤나 도움을 준다. 물론 빈 좌석이 없어 서서 간다면 위험해 불가능한 일이겠지만 그렇지 않은 경우 효과는 의외로 크다. 하루에 왕복 30분 거리라서 30페이지 정도 읽기가 가능하다면 열흘이면 300페이지의 책 한 권을 읽을 수가 있다. 한 달이면 세 권이니 이 어찌 작은 양이라 내팽개칠까.

이런 방법을 통해 나의 독서근육이 비약적으로 발달한 건 틀림없는 사실이다. 최근 일 년 독서량은 오십여 권 정도다. 그건 자랑할 것도 못되지만 그렇다고 아주 빈약한 것도 아니다. 무엇보다 책에 대한 거부감이 사라지고 친숙해졌다는 점이 기쁘다. 여세를 몰아 올해는 백 권의 책을 능히 읽을 수 있으면 하고 바래본다.

빠름과 느림

 아내와 함께 이태리여행을 다녀왔다. 어딘가에 얽매이는 것을 싫어
하는 우리인지라 이번에도 자유여행을 선택했다. 공교롭게도 우리
가 선택한 날은 부활절 연휴가 겹쳐져있었다. 유명관광지를 예약하
려 할 때마다 티켓을 구하는 일이 어렵더니 바로 그런 연유에서였으
리라. 덕분에 우린 가는 곳마다 수많은 인파로 몸살을 앓아야했다.
여행지 중 한 곳인 로마를 여행하던 날이었다. 그날 오후의 여정은
바티칸시국이 중심이었다.

 계획된 여행지는 두 곳이었다. 바티칸박물관과 성베드로성당. 말이
야 두 곳이지만 사실 그건 바티칸여행의 전부나 다름없었다. 특히
바티칸박물관의 경우 볼 것이 많은데다 이동 동선이 길어 시간이 많
이 소요되는 인기여행지였다. 그런 만큼 박물관은 예약이 필수였다.
예약을 하면서 난 여유로운 관람을 위해 방문시간을 가능하면 아침
이른 시간으로 정하려했다. 그러나 그건 내 욕심이었다. 이미 예약

자가 엄청났던 탓에 방문시간을 우리 입맛에 맞추는 건 언감생심 꿈도 꿀 수 없었다. 오후 두 시에 방문예약을 한 건 그 때문이었다. 우리가 도착했을 때 시계는 정오를 갓 지나고 있었다.

두 시간 정도 일찍 도착한 배경에는 나름의 의도가 자리하고 있었다. 성베드로성당의 경우 무료입장인데다 특별히 시간예약이 필요 없어 그곳을 먼저 들러본 후 바티칸박물관으로 향하겠다는 잔머리에 가까운 용의주도함의 결과라고나 할까? 박물관과 달리 성당은 예약제가 아니었기에 언제든 쉽게 입장할 수 있으리라는 믿음 또한 그 근저에 깔려있었다.

하지만 바티칸 땅에 발을 들여놓는 순간 나는 무언가 크게 잘못되었음을 직감했다. 성베드로광장은 말 그대로 인산인해였다. 그뿐이 아니었다. 사람들은 일정한 대열을 형성한 채 거대한 뱀처럼 꾸물거리고 있었고, 그것이 성베드로성당으로 입장하려는 관람객들의 줄임이 밝혀지기까지는 그리 오랜 시간이 걸리지 않았다. 대열의 끝은 어딘지 확인이 되지 않을 정도로 길었다. 그들 사이에서 순서를 기다리다가는 박물관 관람시간을 놓치기 십상이었다. 아내는 혀를 내두르며 포기할 의향을 내비쳤다. 하지만 어렵사리 이태리까지 여행을 와서 그것을 보지 않고 그냥 돌아간다는 것은 생각하기도 싫은 일이었다. 최선의 결정을 내리기 위해 난 줄의 움직임을 유심히 관찰했다. 그나마 줄은 빠른 속도로 줄어들고 있었다. 한 시간 정도 기다린다면 우리에게도 기회가 올 거라는 판단이 가능했다. 나는 아내를 설득한 후 줄의 꼬리 끝에 붙어 섰다.

예상은 또 한 번 보기 좋게 빗나갔다. 우리가 성당에 입장했을 때는 박물관 예약시간을 불과 삼십 분 정도 남겨놓은 상태였다. 그럼에도 난 그것을 행운으로 여겼다. 비록 짧은 시간이지만 적어도 성당을 둘러볼 기회는 잡은 셈이니. 자연히 관람은 보고 느낀다기보다 의무를 다하는 것 같은 형태로 이루어졌다. 휑하니 성당을 한 바퀴 돌면서 휴대폰으로 동영상을 촬영한 것이 전부였다.

바티칸박물관은 상황이 더 심각했다. 예약한 덕분에 패스트트랙으로 입장은 가능했지만 입장객들의 수가 상상을 초월해 들어서는 순간부터 떠밀려 다녀야했다. 무언가를 보기 위해 잠시 멈추기라도 할라치면 어김없이 뒤에서 사람들이 밀어댔고 지킴이들은 사고방지를 위해 빨리 이동할 것을 강요하다시피 했다. 그곳 역시 사진 몇 장찍은 것을 오히려 다행으로 여겨야 할 판이었다. 기억에 남는 것이라고는 미켈란젤로의 그림 '최후의 심판'이 고작이었다. 그조차 지나는 사람들이 이구동성으로 한 마디씩 언급하지 않았다면 모르고 그냥 지나칠 뻔했다. 더군다나 그 방은 사진촬영이 허용되지 않았다. 난 몇 초 동안 작품을 눈에 담으려 애를 쓰면서 인파에 밀려 방을 벗어날 수밖에 없었다.

관람의 마지막 코스는 기념품 숍이었다. 그곳에는 기념품이랍시고 많은 사진들이 걸려있었다. 그 속에서 난 '최후의 심판' 이외에 '천지창조'라든가 라파엘로의 '아테네학당' 같은 그림의 사진들을 발견할 수 있었다. 그때서야 그 그림들 또한 이곳의 소장품이라는 사실이 기억났다. 그걸 보겠다고 방문해놓고 정작 봐야 할 작품은 빠뜨려버린 것이었다. 그뿐이 아니었다. 성베드로성당에서 미켈란젤로의 '피에타' 조각상을 본 기억이 없다는 것도 깨달았다. 아쉬움을 금할 수가 없었다.

　호텔로 돌아오기 위해 메트로를 탔다. 무료함을 달래기 위해 핸드폰으로 찍은 사진과 동영상들을 하나하나 열어보며 느긋한 마음으로 오늘의 여행을 복기해보았다. 성베드로성당 내부를 촬영한 동영상을 재생할 때였다. 영상의 마지막 부분에서 낯익은 조각상이 발견되었다. 그건 다름 아닌 '피에타'였다. 내 시선을 통해 영상촬영을 진행하면서도 내 눈은 영상의 피사체를 보지 못하는 해프닝에 씁쓸함을 감출 수가 없었다.

　박물관에서 역시 그런 일이 벌어졌을지 모른다는 생각에 사진들을 하나하나 차분하게 점검해보았다. 아니나 다를까 한 사진의 귀퉁이에 온전치 않은 모습이긴 하지만 '아테네 학당'이 포함되어있었다. '천지창조'라고 크게 다르지 않았다. 인터넷 검색을 한 결과 그 그림은 '최후의 심판' 작품이 있던 방의 천정에 자리하고 있었음이 확인되었다. 사진촬영이 금지된 방이라 내 핸드폰에서는 발견할 수는 없었지만 만약 촬영이 허용되었더라면 그 또한 어떤 식으로든 모습을 드러냈을 것이 분명했다. 내가 아닌 핸드폰 카메라가 여행의 당사자였음을 여실히 증명한 셈이었다. 실로 어처구니가 없었다. 아울러 매사에 내가 얼마나 진정성 없이 형식에만 치우쳤는지를 적나라하게 드러내는 모습이기도 해 낯이 뜨거워지기도 했다. 그때 비웃기라도 하듯 내 눈앞에서 전광판이 환하게 켜졌다. 그곳에서는 불빛글자들이 느린 속도로 한 자씩 지나가고 있었다. 글자들은 곧 이런 문장을 완성해냈다. 빠름은 바름이 아닌 빠트림이지만 느림은 늦음이 아니라 누림이다.

해외여행, 같은 비용으로 400% 누리는 비법

해외여행. 듣기만 해도 설레는 말이다. 그럼에도 우리는 쉬 떠나지 못한다. 바쁜 일상을 살아가는 현대인들에게 당장 모든 걸 젖혀두고 며칠이나마 시간을 내는 일이 어려울 뿐만 아니라 그 비용이라는 것도 상당한 부담으로 다가오기 때문이다. 어쩌다 크게 마음먹고 다녀와도 여행에서 느꼈던 진한 감동은 빠른 시간 내에 찌든 일상 속으로 파묻혀버리는 반면 사용한 여행경비를 메우는 작업은 긴 시간동안 이어진다. 해외여행이라는 단어 앞에 '꿈에 그리는'과 같은 수식어가 자주 따라다니는 것도 이런 현상과 결코 무관하지 않다.

비교적 여행을 자주 하는 편인 나에게도 그건 마찬가지다. 한 번 여행을 결심하기까지 수천 번 수만 번 생각을 거듭하고 고민한다. 여행을 할 때마다 가능하면 비용을 줄이려 애를 쓰는 것도 그런 차원에서다. 한 번 여행하는 비용으로 두 번 여행할 수 있다면 여행의 기회가 나에게는 두 배나 늘어나는 셈이니까.

하지만 경비를 줄이는 데는 일정 부분 한계가 있다. 우선 비행기 삯이라는 게 내 마음대로 결정할 수 있는 문제가 아니다. 물론 선택하는 항공편에 따라 다소 차이야 있겠지만 싼 항공권의 경우 자세히 살펴보면 대부분 여러 가지 조건들이 붙어있기 마련이다. 경유지를 거쳐 가면서 많은 시간이 소요된다거나, 변경이나 취소가 불가한 항공권들이 대다수다. 숙박지도 크게 다르지 않다. 체감할 만큼 싼 숙박지라면 여러 가지 불편을 감수해야 한다. 그러고 보면 겨우 내 의지대로 줄일 수 있는 것이라고는 식비 따위가 고작이다. 그러나 안타깝게도 이건 아긴다고 해봐야 크게 표시가 나지 않는다. 결국 이런 이유들 때문에 여행을 마치고 나서 정산을 해보면 들인 노력에 비해 경비는 크게 줄어들지 않는다. 나 또한 매번 느끼는 일이다.

가치라는 것은 만족도를 비용으로 나눈 값이다. 이 말은 보다 나은 가치를 창출하기 위해서는 비용을 줄이는 방법 이외에 만족도를 늘리는 방법도 있다는 의미다. 그래서 난 언젠가부터 생각을 고쳐먹었다. 비용을 줄이려는 노력을, 같은 비용으로 보다 많은 것을 누리는 데 쏟아 붓기로. 노력은 나름 성과를 보였다. 그것이 이제는 꽤 자리를 잡아 여행에 들인 비용이 크게 아깝지 않은 수준에까지 도달해있다.

여행을 하기 전에 내가 제일 먼저 하는 일은 사전답사다. 이름이야 거창하게 답사라는 말을 붙였지만 그것이 실제 그 장소를 미리 가본다는 뜻은 아니다. 그저 사이버공간 상에서 내가 가고자 하는 장소를 먼저 둘러본다는 말이다. 요즘이야말로 인터넷으로 할 수 없는 일이 없는 세상이다. 조금만 검색을 해보면 내가 여행하고자 하는 지역을 먼저 여행한 사람들이 올려놓은 글들과 사진, 영상들이 즐비하다. 뿐만 아니라 구글지도에서는 세계 어느 곳의 거리든 가장 최근의 모습을 스트리트뷰라는 서비스이름 하에 사진으로 제공한다. 유명관광지에 대해서는 동영상까지 제공하는 경우도 있다. 이것들을 잘 이용하면 말 그대로 사전답사의 목적을 충분히 달성할 수가 있다. 그런 과정을 거치면 여행지를 한 번 둘러본 상태에서 여행을 떠날 수가 있어 여행에서의 시간과 노력은 당연히 줄어든다. 그건 고스란히 여행의 즐거움을 배가시키는 결과로 이어진다.

여행지에서도 잊지 않는 일이 있다. 하루의 여행이 끝난 저녁이면 난 그날을 돌이키며 나름 일기형태의 기행문을 쓴다. 기행문이라고 해서 뭐 그리 거창한 것이 아니다. 내가 돌아다녔던 코스를 다시 한 번 그려보면서 여행지마다의 특이했던 점과 그곳에서 느꼈던 소회를 간단히 적는 정도다. 기억이 잘 나지 않을 때는 찍었던 사진이나 동영상을 들추어보기도 한다. 일기는 문장으로 표현되는 것이 대부분이지만 부담스러울 때는 그저 몇 개의 단어만을 조합한 메모에 그치기도 한다. 그러는 사이 그날의 여행지를 다시 한 번 여행하는 효과가 일어난다. 여행의 감동을 보다 오랜 시간 기억할 수 있는 건 말할 것도 없다.

여행을 마치고 돌아오면 또 한 가지 일이 기다리고 있다. 여행하면서 찍은 사진과 짧은 영상들을 모아 나름 스토리가 내포된 한 편의 동영상을 만드는 것이다. 이때 써두었던 글들은 영상 속에서 자막 역할을 톡톡히 한다. 이 작업은 시간이 걸리는 일이어서 어려움이 많이 따른다. 그러나 제법 그럴싸한 영상이 완성되고 나면 뿌듯하니 성취감이 느껴지는 것 또한 사실이어서 수고에 대한 보상을 톡톡히 받을 수 있다. 함께 여행했던 아내가 제일 좋아하는 것이기도 해서 보람도 따르는 일이다. 비록 구독자가 몇 안 되는 유튜브채널이긴 하지만 그곳에 업로드를 해놓고 TV를 통해 보고 있노라면 여행 당시로 되돌아간 듯한 착각 속에 빠져들기도 한다. 거기다 두고두고 보고 싶을 때마다 다시 볼 수 있어 추억 팔이에 이것만큼 좋은 게 없다.

나의 모든 해외여행은 이런 과정을 곱다시 거친다. 다시 말해 난 여행지 한 곳을 네 번이나 여행하는 셈이다. 결국 남들과 똑같은 비용으로 네 배를 누리는 꼴이니 이는 거꾸로 말하면 비용이 사분의 일로 줄어드는 것이다. 그렇기에 여행할 때마다 그리 아까운 생각이 들지 않는다. 아내 역시 비용에 크게 신경 쓰지 않게 되었다. 경제적으로 여유가 있어서가 아니라 여행에 들인 비용에 비해 훨씬 더 큰 만족감을 얻는 바람에 심리적으로 여유를 갖게 된 까닭이다. 난 믿는다. 모름지기 이런 방법으로 계속 여행을 거듭하다보면 조만간 네 배 아니라 열 배, 그 이상의 효과까지도 누릴 수 있는 방법을 터득하게 될 거라고.

슬기로운 해외미술관 관람방법

 해외여행을 하다보면 미술관을 관람하게 되는 경우가 허다하다. 여행의 목적 자체가 그 나라의 역사와 문화를 살펴보고 이해하는 일이니 지극히 당연한 일이다. 나 역시 그런 경험이 많다. 하지만 관람이 끝난 후면 으레 허전함이랄까 아쉬움이 뒤따르곤 한다. 결코 적다고 할 수 없는 비용을 치르면서도 늘 무언가를 빠뜨리거나 제대로 보지 못한 듯한 느낌에 사로잡히는 까닭이다. 미술관 관람을 하는 나만의 방법을 체계화시켜야겠다고 마음먹은 건 그래서였다.

 그 중에서 방문 전에 미리 챙겨야 할 사항들이 몇 가지 있다. 가장 먼저 해야 할 일은 가고자 하는 미술관을 사전에 예약하는 일이다. 대부분의 유명미술관은 인기 있는 여행지에 자리한다. 루브르, 프라도, 우피치, 바티칸 미술관 같은 곳들이 모두 파리, 마드리드, 피렌체, 로마와 같은 도시에 위치해있는 걸 보면 그 사실은 명확하다. 아마도 이 도시를 여행하는 사람들이라면 거의가 미술관 관람을 염두에 두고 있을 것이다. 그러나 관람을 하고 싶어도 막상 현지에서 티켓을 구하지 못해 입장부터 거부당하는 일이 비일비재하다. 뿐만 아니라 일부 미술관의 경우는 한 달여 전부터 매진되는 사례도 종종 발생한다. 나 역시 바티칸 미술관을 예약하려다 매진이 되는 바람에 상당한 웃돈을 주고 티켓을 샀던 일이 있다. 예약을 하면 현지에서 기다리는 시간 없이 패스트트랙으로 입장할 수 있는 것도 장점이다. 해외여행에서 시간절약만큼 중요한 일이 어디 있을까? 그런 면에서 미술관에 관심을 가진 사람이라면 여행 전에 미리 예약현황을 확인하는 건 필수라고 할 수 있다.

예약을 할 때는 가능하면 이른 시간, 아니 첫 시간대를 선택하는 것이 현명하다. 아무래도 그 시간대에는 사람들의 방문이 뜸하기 마련이다. 관람객 수가 적으면 편안하고 차분한 관람이 가능하다. 사람들이 많아야 여행하는 기분도 나지 않느냐고 말하는 사람들도 있지만 그건 미술애호가가 아닌 일반관광객의 입장에서 내뱉는 우스개에 불과하다. 주변이 관람객들로 붐비면 자연히 작품을 좀 더 자세히 보고 싶어도 그럴 수가 없다. 심지어 난 바티칸에서 미켈란젤로의 '천지창조'를 관람할 때 사람들에게 떠밀려가며 잠시 훔쳐보다시피 한 적도 있다.

이른 시간의 관람은 집중력을 높이는 차원에서도 유리하다. 해외여행을 자주 할 여건이 못 되는 우리 같은 평범한 사람이라면 흔히 관광과 관람을 병행하기 마련이다. 관광을 하다 지친 상태에서 관람이 이루어지면 그림이 눈에 들어올 리 만무하다. 이 말을 우습게 들어서는 안 된다. 내로라하는 미술관이라면 전시작품이 실로 어마어마

하다. 그걸 모두 돌아보려면 아무리 빨리 움직인다 해도 두어 시간 이상 걸린다. 그 시간 동안 계속 걸어 다닌다고 생각해보라. 그것만으로도 10킬로미터를 훌쩍 넘는 거리가 될 것이다. 이제 그 피로도가 어느 정도 짐작이 되는가?

집중력 저하를 막기 위해 또 고려해야 할 사항이 있다. 하루에 두 개 이상의 미술관 관람을 계획하는 일은 어리석다. 미술관이 같은 도시에 위치해있어 일정상 어쩔 수 없는 경우가 있겠지만 그럴 때라도 될 수 있으면 하루에 하나의 미술관만 찾을 것을 난 강력하게 권한다. 신체적 피로감은 정신을 피폐하게 만들어 관람을 즐거움이 아닌 고통의 순간으로 만들기 십상이다.

마드리드를 여행할 때 난 소피아왕립미술관과 프라도 미술관을 같은 날 방문하기로 계획했었다. 특히나 프라도 미술관은 저녁 타임이었다. 때문에 다시는 가보지 못할 프라도 미술관이라는 것을 알면서도 피곤에 절어 그곳에서 벨라스케스의 '하녀들'만 겨우 찾아보는 우를 범하고 말았던 기억이 생생하다. 모든 일정이 끝났을 때 그렇게 후회스러울 수가 없었다.

사전에 해당미술관에서 꼭 봐야 하는 작품들을 파악해두는 것도 하나의 요령이다. 외국 미술관에서 우리나라처럼 관람객의 이동 동선이 잘 짜여있을 거라 생각한다면 그것이야말로 명백한 오해다. 미로 같은 방들을 한참 헤매다보면 어느 방을 관람했고 어느 방을 관람하지 않았는지 헷갈릴 때가 많다. 미술관을 빠져나오고 난 후에야 모든 작품을 감상하지 못했음을 깨닫게 되는 때도 있다. 꼭 봐야하는 작품을 기억해두면 이렇게 관람을 빠뜨린 부분을 발견하는데 많은 도움을 준다.

거기다 그런 작품들에 대해 사전지식을 습득해둔다면 금상첨화다. 요즘은 인터넷이 워낙 발달한 시대라 방문하고자 하는 미술관에 어떤 작품들이 전시되는지 알아내는 건 식은 죽 먹기다. 그 작품들 중에서 관심이 가는 작품들에 대한 지식 또한 인터넷을 조금만 검색하면 금방 목적한 바를 달성할 수 있다. 더 많은 지식이 필요하다면 주변 도서관 등을 활용할 수도 있을 것이다. 작품 배경에 얽힌 스토리나 화가가 표현하고자 하는 내용, 작품이 갖는 의미 등을 미리 알고 감상한다면 그 감동은 더욱 커진다. 그 효과야말로 한국어가 아닌 외국어로 된 오디오가이드를 이용하는 것보다 훨씬 클 수밖에 없다.

최근 들어 암스테르담의 고흐미술관을 찾은 적이 있었다. 여행 전에 우연히 도서관에서 그 미술관에 소장된 작품들에 관해 상세하게 설명이 되어있는 책을 한 권 발견하고 읽은 뒤였다. 덕분에 작품들마다 어떤 부분을 주의 깊게 볼 것인가를 쉬 알 수 있어 그 어떤 미술관보다 의미 있는 관람이 가능했다. 함께 관람하던 아내에게 미술에 대해 아주 박식한 사람처럼 굴 수 있었음은 두 말할 것도 없다. 그날따라 평소 엄청나게 비싸보이던 관람료가 하나도 아깝지가 않았다. 그동안 비싼 관람료를 치르면서 미술관을 쫓아다닌 대가가 이렇게라도 주어진다고 생각하니 그나마 다행이라는 생각이 든다.

무궁화 꽃이 피었습니다

 그날따라 난 굉장히 무거운 기분이었다. 그건 더위를 식힐 겸 제법 많은 양을 마셔버린 전날의 맥주 탓도 아니었고, 최근 며칠간 계속된 열대야로 잠을 설친 탓도 아니었다. 새벽잠에서 깨자마자 습관처럼 화장실에서 소변을 보며 잠기운을 털어내듯 온몸을 부르르 떨 때 도착한 바로 그 한 통의 문자 때문이었다. '김기찬 본인 상. 발인 8월 5일, 장지 김해 선영.' 내 핸드폰은 아주 선명하게 죽마고우의 부고를 전하고 있었다.

 우리는 아직 육십 대 초반의 나이였기에 본인의 부고를 주고받는 것에는 그리 익숙하지 못했다. 난 혹시 주변 가족의 부고가 잘못 전해진 것은 아닌지 이리저리 알 만한 곳으로 수소문해보았다. 하지만 내 기대는 보란 듯이 빗나갔고 그건 분명 친구 본인의 사망소식이었다. 무엇보다 가슴이 아팠던 건 죽음의 원인이 사고사라는 점이었다. 지병과 같이 어느 정도 예견된 것이 아니라 갑작스레 닥쳐오는 바람에 미처 가족들과의 이별에 대비조차 할 수 없었다는 사실. 교통사고…….

울적해진 기분을 달래고자 서둘러 집을 나섰다. 주변 공원을 산책이라도 해볼 심사였다. 아침공기는 상쾌했다. 맑은 공기를 폐부 깊숙이 받아들이며 천천히 공원에 들어서자 이미 적지 않은 사람들이 아침기운을 벗 삼아 운동을 하는 중이었다. 호수를 빙 둘러 에워싼 순환형의 길을 뜀박질하는가 하면, 자전거를 타기도 하고, 또 더러는 네트를 사이에 두고 편을 나눠 배드민턴을 치기도 했다.

호수를 반 바퀴쯤 돌았을 무렵이었다. 길가로 무궁화나무들이 도열한 채 꽃을 활짝 피우고 있었다. 불현듯 어린 시절 고향의 뒷산에서 친구들과 숨바꼭질을 하던 때가 떠올랐다. 술래가 눈을 가린 채 하나 둘 셈을 하며 열까지 헤아리는 사이 나머지 아이들이 모두 숨어버리는 그 놀이. 그들 가운데는 기찬도 포함되어있었다. 우리는 '무궁화 꽃이 피었습니다.'라는 문장으로 셈을 대신하곤 했다. 그건 10음절로 구성된 그 문장을 한 차례 욈으로써 하나부터 열까지를 모두 센 것으로 간주하는 우리들만의 규칙이었다.

추억은 새삼 기찬의 부재를 더욱 피부에 와 닿게 하면서 안타까움을 키웠다. 다시 문자를 열어본 나는 그저 망연해져갔다. 그때 색다른 광경이 시야에 들어왔다. 한 노인이 무궁화나무 아래에서 막 떨어지기 시작한 꽃잎들을 하나하나 갈무리하고 있었다. 꽃잎에 묻은 흙을 일일이 털어내며 가지고 있던 성경책 사이에 꽂는 그 모습은 마치 무슨 신성한 의식을 치르기라도 하는 형색이었다. 난 무심코 그 모습을 지켜보며 서있었다. 한참동안 그 일에 몰두한 노인은 땅바닥에서 꽃잎들이 거의 사라질 때쯤에야 허리를 폈다. 고개를 든 노인의 시선이 나의 것과 마주쳤다. 의아함이 가득한 내 시선을 의식했는지 노인은 환하게 웃는 표정으로 다가서며 말을 걸어왔다.

"왜 내가 이상해보이우?"

"글쎄요. 이상하다기보다는 무언가 사연이 있으신 것 같은데요?"

나의 반문을 예상이라도 한 것처럼 그는 자신의 행위에 대한 이유를 설명했다. 손자가 최근에 군대에서 훈련 도중 사고사를 당했다는 것이었다. 나라를 지키다 죽었으니 어찌 나라의 꽃인 무궁화를 보면 그 아이 생각이 나지 않겠냐는 게 그 이유였다. 무슨 말을 해야 할지 몰라 망설이는 사이 노인은 말을 이었다.

"이놈의 꽃이 피었으면 그냥 가만 있지 금세 떨어져버리니 왠지 그 애 흔적이 자꾸 사라지는 것 같지 않겠수? 그래 이렇게 잘 간수하려는 것이지. 성경이라면 녀석의 천국행을 도와주겠다 싶기도 하고."

그 말을 듣는 순간 활짝 핀 무궁화 속에서 기찬의 모습도 어른거렸다.

"그래서 무궁화가 피는 이때면 자주 여길 찾아온다우."

어디선가 '무궁화 꽃이 피었습니다.'하고 외치는 소리가 들리는 것 같았다. 기찬도 할아버지의 손자도 그 소리에 어디론가 숨어버린 것이 아닐까? 문득 그런 생각이 들어 주변을 돌아보았다. 노인이 등을 돌려 서서히 멀어지고 있었다. 양 어깨가 가족을 잃은 슬픔에 짓눌려 한층 쳐져보였다. 난 두 손을 가득 모아 입가로 가져갔다. 그리고 마음속으로 외치기 시작했다.

'애들아, 게임 끝났어. 이제 모두들 나와.'

저쪽 끝에서 기찬과 할아버지의 손자가 손을 잡고 뛰어나오는 모습
이 또렷해지다 서서히 흐려져 갔다.

햄릿형 인간의 결코 쉽지 않은 선택

　모처럼 독립한 딸과 함께 해외여행을 떠나기로 했다. 직업의 특성상 여름부터 가을에 이르기까지 야근과 특근을 밥 먹듯 할 수밖에 없는 녀석에게 무언가 당근의 역할을 할 만한 게 없을까 고민하던 아내가 제시한 의견이었다. 아내와 내가 해외여행을 떠날 때마다 자못 부러운 눈길을 숨기지 않던 녀석의 모습이 눈에 밟힌 탓이리라.
　아니나 다를까 그 말이 나오기가 무섭게 녀석은 여행지의 선정부터 시작해 모든 과정에 적극적인 행보를 보였다. 그걸 지켜보면서 난 여행계획의 모든 것으로부터 멀찌감치 떨어져있기로 마음먹었다. 아내와 여행을 갈 때면 비행편부터 숙소는 물론이고 방문할 곳의 동선까지 꼼꼼하게 살피던 것과는 달라진 모습이었다. 그 배경에는 자칫 잘못해 녀석으로부터 핀잔을 당하지나 않을까 하는 걱정이 자리하고 있었다. 아무리 부녀지간이라지만 둘 사이에는 엄연히 세대차이라는 커다란 벽이 가로놓여있었고 그로 인해 서로 선호하는 바가 다르다는 사실은 익히 알려진 바였다. 어련히 알아서 잘 하려니 하면서도 가끔 걱정이 될 때면 '이번 여행은 우리 딸이 모두 알아서 해. 우린 그냥 따라만 다닐 거야.'라는 말로 경각심을 불러일으키는 것이 고작이었다.

여행을 떠나기까지 한 달쯤 남았을 무렵이었다. 가끔 녀석의 입에서 넋두리가 새어나왔다. '숙소를 알아봐야하는데…… 짬이 잘 안 나네.' 난 그 말을 애써 무시했다. 관심을 보이는 순간 그건 내 일이 되고 혹시라도 현지에서 제 마음에 들지 않는 것으로 밝혀지는 날에는 곱다시 그 책임을 모두 뒤집어써야한다는 부담감 때문이었다. 아내의 불만이야 그동안 여행을 같이 다니면서 쌓인 정에 기대 대충 눌러버리면 그뿐이지만 딸은 달랐다. 더구나 이번 여행은 오로지 그의 수고를 위로하는 차원에서 결정된 것이 아니던가.

눈치싸움을 벌이던 며칠 뒤였다. 핸드폰이 연속으로 여러 차례 부르르 떨어댔다. 열어보니 여행지의 호텔 몇 곳이 링크되어있었다. 녀석이 나름 숙박후보지로 정한 호텔인 모양이었다. 마지막에는 이런 글귀가 붙어있었다. '엄마 아빠가 상의해서 이것들 중에서 하나로 골라. 내가 바쁘다보니 세세하게 살필 겨를이 없네.' 녀석은 저한테 배당된 결정권을 우리에게 고스란히 되돌려주고 있었다. 내가 느끼던 부담감이 녀석의 문자 행간마다에 그대로 녹아있었다.

아내야 애당초 자신은 열외라고 생각하는 사람이었으니 그런 권한의 이양에 반응을 보일 리가 없었다. 나 역시 모르쇠로 일관했다. 그 상태로 며칠이 지나자 녀석에게서 또 문자가 왔다. '숙소는 어떻게 되었어?' 이번에는 숫제 숙소가 우리 책임으로 바뀌어있었다. 난 녀석과 동일한 수법을 동원했다. '딸이 알아서 정하셔. 딸이 좋으면 우린 뭐든 좋아.' 나의 교활한 응대에 결국 공은 다시 굴러 녀석에게로 넘어갔다.

 녀석의 당혹해하는 표정이 머릿속에서 선연히 그려지면서 조금은 짠해졌다. 아무래도 녀석을 좀 도와주어야겠다는 생각이 들었다. 난 세 군데 호텔을 몇 가지 관점에서 비교하는 표를 만들었다. 그러면서 은근히 나의 본심을 그 속에 숨기듯 심어두었다. 내가 가장 선호하는 호텔을 녀석이 선택할 수 있도록 장단점이라는 칸을 만들어 약간의 술수를 부린 것이었다. 그걸 알아차린 것인지 아니면 고민을 하는 것인지 그로부터 이틀 동안 녀석에게서는 아무 연락이 없었다.

 다시 연락이 왔을 때는 표적이 바뀌어있었다. '엄마는 어디가 제일 좋아?' 하지만 아내도 보통내기가 아니었다. '가격은 A, 위치는 B, 감성은 C.' 내가 만든 표를 보면 누구나 그렇게 밖에 할 수 없는 답을 아내는 천연덕스럽게 하고 있었다. 사실 '감성은 C'라는 답이야말로 내가 유도한 것이었다. 내 딸이라면 그걸 최우선적으로 고려한다는 걸 모를 까닭이 없는 나였던 것이다. '그렇지? 역시 엄마는 나와 통해. 그럼 C로 아빠가 예약 좀 해줘.' 녀석은 그렇게 제 의무를 다한 것처럼 대화방에서 슬그머니 꼬리를 감추었다.

 문제는 우리가 옥신각신하는 사이에 그 호텔의 방이 매진되어버린 점이었다. 급하게 우리의 대화방은 복구가 되었고 차선(次善), 차차선(次次善)을 외치면서 A와 B를 차례로 예약하려했지만 워낙 인기 있는 관광지라 그조차 모두 사라진 뒤였다. 우린 어느새 원점으로 되돌아와 있었다. 행여 여행이 무산되기라도 할까봐 녀석의 문자에는 눈물이 글썽글썽 매달려있었다. 애처로웠다. '아빠가 다시 알아볼게. 그러니 이번에는 우물쭈물하지 말고 빨리 골라야 해.'

 앞서와 비슷한 형태의 표를 들이밀었다. 그러면서 마지막에 이런 말을 남겼다. '만약 나보고 고르라고 한다면…….' 아까보다 더 내의도를 확실하게 드러냄으로써 선택에 빨리 종지부를 찍기 위해서였다. 그때였다. 갑자기 비상등이 깜빡거렸다. 그걸 알리는 순간 이번에도 숙소의 잘잘못에 대한 모든 책임은 나의 몫이라는 사실을 깨달았다. 그럴 수는 없었다. 다음에 이어지는 글귀는 삽시간에 180도 방향을 바꾸었다. '어떤 것이 될지 맞춰봐. 마누라와 딸이 나랑 얼마나 교감이 이뤄지는지 이번 기회에 한 번 보자.' 거기에는 실로 음흉한 뜻이 내포되어있었다. 대답을 잘 살펴보면 역으로 그들이 선호하는 곳이 어딘지를 알 수 있을 것이기 때문이었다. 녀석이 가장 먼저 미끼를 덥석 물었다. '혹시 D 아냐? 거기가 제일 나아 보이는데.' 아내의 답도 크게 다르지 않았다. 난 선심 쓰듯 이렇게 알렸다. '그럼 D로 결정할까? 내가 원한 곳은 거기가 아니지만.' 뒤에 이어진 약간의 거짓말로 교묘하게 은폐된 나의 뜻은 그렇게 관철되었다.

 그때서야 비로소 호텔은 확정되었다. 죽느냐 사느냐를 두고 벌이는 햄릿의 고민이 아니라 아무리 하찮은 선택이라도 거기에 따르는 책임을 감안한다면 어려울 수밖에 없는 일이다. 더군다나 우리 가족과 같은 극소심형인 혈액형A 집단들에게는 두말하면 잔소리다. 그럼에도 우린 매번 무언가를 선택할 수밖에 없는 상황에 내몰린다. 이번 일을 계기로 그럴 때마다 이런 믿음을 갖기로 했다. '아마 다른 사람이라 해도 이걸 선택했을 거야.' 그 믿음이 강하면 강할수록 내 선택에 대한 자신감은 훨씬 커지지 않을까? 아울러 자신감이 커질수록 난 더욱 다음 선택을 보다 쉽게 할 수 있지 않을까?

유행 지난 바바리

기온이 뚝 떨어졌다. 겨울이 채 오기도 전에 추위가 먼저 찾아온 셈이다. 꽤나 겨울을 좋아했던 나지만 서둘러 찾아온 한파가 마냥 반갑지가 않다. 나이 탓인지도 모른다. 찬바람에 대지의 모든 생명들이 움츠러드는 걸 보다보면, 수분이 빠져나가면서 쭈글쭈글해져 가는 피부와 줄어드는 머리숱의 내 모습이 연상되곤 한다. 왠지 초라해지는 기분마저 든다.

동네주변이라도 한 바퀴 돌아보고 싶은데 걱정스런 일이 한두 가지가 아니다. 몸을 한껏 웅크리고 종종걸음을 하는 것도 마뜩잖고 행여 얼음판에 미끄러져 낙상이라도 당할까 조심조심 발걸음을 옮겨야 하는 일도 불만이다. 그러지 않으려니 또 챙겨야 할 물건들이 많다. 두툼한 외투는 물론이고 장갑에 털모자까지 중무장을 해야 한다. 성가시지만 집안에서만의 답답함에서 벗어나려면 어쩔 도리가 없다.

옷장의 문을 여는 순간 새 외투가 눈에 들어왔다. 좀체 옷 사는 일에 큰 비용을 들이지 않는 내가 몇 년 전에 거금을 들여 산 것이었다. 특별한 외출이 아님에도 선뜻 그 옷에 끌린 이유는 최근 아내가 나에게 해 준 특별한 조언 때문이다. 이제는 옷차림에 각별한 신경을 써야 궁상맞아 보이지 않고 아끼는 물건일수록 더욱 자주 사용해야 해. 그 말을 하면서 아내는 나이가 들면서 반드시 지켜야 하는 철칙이라는 붙임말까지 덧붙였다. 외투를 꺼내 입었다. 불현듯 고이 모셔두었다가 어느 날 더 이상은 그 옷을 입을 수 없게 되었음을 알면서 허망함과 상실감을 오롯이 느끼던 언젠가의 기억이 불쑥 찾아왔다.

대학을 졸업한 후 입사시험에 합격했을 때였다. 어머니와 함께 한 백화점에 나들이를 간 적이 있었다. 이제 곧 직장인이 될 터이니 겨울용 바바리 한 벌 정도는 있어야 하지 않겠냐는 어머니의 권유를 좇아서 나선 걸음이었다. 그때만 해도 찌든 가난에 허덕이던 우리 집이었기에 분명 어머니는 그 말을 하기까지 몇날 며칠을 고민했을 게 틀림없었다. 그걸 잘 알면서도 난 굳이 모른 체 외면하며 당시 친구 사이에서 유행하던 바바리를 입을 수 있다는 생각에만 젖어있었다. 앞으로 받게 될 월급의 일부를 생활비에 보태면 그 보답은 충분히 될 거라 자위하면서.

마음에 드는 바바리는 쉽게 찾을 수 있었다. 이어 시험착용으로 내 몸에 맞는 사이즈를 확인하면서 구매물품은 확정되었다. 그 순간 어머니의 표정이 갑자기 일그러졌다. 가격표의 금액이 예상을 훨씬 벗어난 탓이었다. 어머니는 어색한 웃음을 흘리면서 옆에 있던 좀 낮은 가격대의 옷들을 손수 들어 보이면서 바꿀 의향이 없는지를 물었다. 그런 옷들이 성에 찰 리가 없었다. 난 못마땅한 기색을 여지없이 드러냈고 짜증까지 내면서 그냥 돌아가자는 말까지 불사했다. 입사를 축하해주러 왔다가 기분을 상하게 만들었다는 걸 깨달은 어머니는 더 이상 좌고우면하지 않고 종업원에게 내가 원하는 것으로 포장해달라고 말했다.

 무려 37년이나 지났지만 지금도 그때의 장면이 눈에 선하다. 그 바바리의 가격표에 적힌 금액까지도. 그건 내 첫 월급의 삼분의 일이 넘는 액수였다. 모르긴 해도 당시 우리 식구들의 한 달 생계비 정도는 거뜬히 되고도 남았을 그 돈을 난 어머니로 하여금 내 옷값으로 지불하도록 협박을 한 것이나 마찬가지였다. 그때 생각이 날 때마다 난 애써 철없는 행동으로 치부하며 자기합리화에 급급했지만 사실 당시 내 나이는 철부지로 취급하기에는 너무 많았다.

 더 큰 문제는 그 이후에 발생했다. 분수에 맞지 않을 정도로 비싼 옷을 산 탓에 난 그 옷을 애지중지했다. 특별히 격식을 차리는 자리가 아니면 입을 엄두도 내지 못했다. 드라이클리닝이 아니면 세탁조차 불가능해 세탁비용 또한 만만찮다는 걸 인식한 결과이기도 했다. 옷은 제 계절이라 할 수 있는 겨울이 와도 옷장 속에서 보내는 날이 훨씬 많았다. 지금 와서야 고백하는 말이지만 그 옷을 입은 횟수라고 해봐야 아무리 넉넉하게 계산해도 겨우 열 손가락을 채울 정도에 불과했다. 그토록 소중히 여긴 만큼 옷은 결혼 후에도 나를 따라와 신혼방 장롱 속 노른자위 자리를 어김없이 차지했다.

 세월은 모든 분야에서 변화를 재촉하는 법이다. 그 가운데에서도 패션계는 유행이라는 촉매의 영향으로 변화의 속도를 더욱 가속시켰다. 불과 몇 년 사이에 내 바바리는 촌스러움의 대명사로 전락하고 말았다. 당연히 겨울이 와도 그 옷이 나의 선택을 받는 일은 점점 드물어갔다. 그러다 결국 어느 날 폐의류함으로 사라지고 말았다.

그걸 버리던 날 죄책감에 사로잡히지 않을 수 없었다. 지금도 그 생각만 하면 어머니에 대한 죄스러움을 금할 길이 없다. 이미 돌아가신 후라 안타까움은 훨씬 더하다. 옷을 사줄 때의 어머니 심정을 생각하면 왜 그런 불효를 저질렀을까 손이 부들부들 떨리기까지 한다. 그나마 위안이라고 한다면 그 뒤로 무엇이든 물건을 구입할 때면 그 효용성에 대해 거듭 따져보는 습관이 들었다는 점이다. 특히 옷의 구입에는 아주 철저하게 보수적으로 변해버렸다.

하지만 그렇다고 똑같은 실수를 되풀이하지 않은 건 아니었다. 오늘 꺼내 입은 외투 역시 비슷한 사례다. 아내를 구슬려 서울까지 가서 그 옷을 구입했지만 역시나 지금까지 입은 횟수는 그다지 많지 않았다. 그 옷을 볼 때마다 안타까운 마음이 드는 것 또한 숨길 수 없는 사실이다. 아끼는 물건일수록 사용빈도를 높여야한다고 아내가 강조한 것도 나의 이런 상황을 냉철하게 꿰뚫어 본 탓이 분명하다. 늦은 감이 없진 않지만 어쨌든 지금이라도 각성한 건 참으로 다행이란 생각이다.

옷장을 한 번 살펴보았다. 철이 바뀔 때마다 입을 옷이 없다고 느낀 순간이 한두 번이 아니건만 무슨 옷들이 이렇게 많은지 여유 공간이라고는 손톱만큼도 없이 빼곡하게 들어차있다. 이제야말로 이것들을 어떻게 입을지 고민할 때가 된 것 같다. 옷뿐만이 아니라 다른 물건도 마찬가지다. 더 많은 것을 소유하려 할 것이 아니라 가진 것들을 슬기롭게 소비할 방법을 찾아야 한다. 내 것이라는 개념은 내가 가진 것이 아니라 내가 온전하게 사용한 것임을 잊지 말도록 하자. 그걸 실천하는 것만이 어머니에 대한 죄스러움을 조금이나마 씻을 수 있는 길이 될 것이다.

은퇴의사의 진료

 병원에 가야하는 날이었다. 평소 병원 문을 무슨 지옥문처럼 취급하는 나지만 그날은 그다지 크게 부담스럽지가 않았다. 발생한 질병 자체가 워낙 하찮은 것인데다 같은 이유로 벌써 네 번째 이어지는 발걸음이었기 때문이다. 그렇다고 반길 일은 아니었다. 크든 작든 몸에 생겨난 비정상적인 증상은 어떤 식으로든 나의 일상을 적잖이 피곤하게 만들기 마련이었다.

 오른쪽 다리에 생긴 피부반점을 확인한 건 며칠 전이었다. 전날 저녁 잠자리에서 허벅지와 무릎 근처가 따끔거리면서 간지러웠던 게 기억나 샤워를 하면서 무심코 그곳을 쳐다보았는데 놀랍게도 거기에는 아주 넓은 면적이 검붉은 색으로 변해있었다. 타박상이 나을 무렵 생기는 딱지 같은 색상에 마치 일본열도를 그려놓은 것처럼 허벅지에서부터 종아리까지 긴 띠 형태를 이루는 모양이었다. 원인은 쉽게 짐작이 갔다. 시도 때도 없이 피부에 심한 자극을 가한 탓이리라.

 유난히 목욕을 좋아하는 나였다. 그것도 뜨거운 물에 몸을 담그고 한증막에서 땀 흘리기를 특별히 즐겼다. 거기다 최근 들어서는 운동량을 늘린답시고 수영장을 들락거리는 바람에 목욕탕 방문이 매일 습관으로 굳어지는 중이었다. 어디 그뿐일까? 이런저런 이유로 목욕탕을 찾지 못하는 날이면 추운 날씨를 핑계 대며 집에서 욕조에 물을 받아놓고 반신욕을 행하곤 했다. 문제는 내가 이용하는 탕의 수온이 40도 언저리에 육박한다는 사실이다. 그렇게 뜨거운 곳에서 한참동안이나 머물며 땀을 한껏 흘리고 나야 목욕을 한 것 같은 개운함이 느껴지곤 했다.

 아니나 다를까 병원을 처음 찾았을 때 의사는 피부가 건조해지면서 염증이 찾아온 것이라 원인을 설명해주었다. 주사를 맞았고 먹는 약과 연고가 처방되었다. 가능하면 피부에 자극을 주는 일을 삼가라는 경고도 행해졌다. 겉으로 드러나는 부위는 아니지만 그래도 워낙 환부가 넓고 보기 흉했던 터에 난 성실하게 의사의 말을 따랐다. 장시간 외출을 할 때면 암만 귀찮아도 내복약과 연고를 꼬박꼬박 챙겼고 약효가 떨어지는 것을 막기 위해 저녁에 유일한 낙으로 삼던 한 잔 술마저도 끊어버렸다. 이틀에 한 차례씩 집에서 2킬로미터 남짓한 거리의 병원을 걸어서 오가는 수고까지도 감수했다.

 그러나 상태는 일주일이라는 시간의 경과에도 크게 나아지지 않았다. 가려움과 따끔거리는 증상이야 확연히 줄었지만 그 자국만은 줄어들 기미를 보이지 않았다. 각질처럼 벗겨지려나 싶어 제법 힘을 주어 손가락으로 밀어보면 그때만 잠시 색깔이 옅어지는 듯하다가 금세 원상태로 회복되곤 했다. 아무래도 흉터로 영원히 남을 것만 같았다. 돌팔이 의사를 잘못 찾아온 것이 아닌지 의심이 들기까지 했다. 그럴 것이 공교롭게도 내가 찾은 그 병원의 입구에는 이번 달 말일을 기준으로 폐업한다는 안내문이 붙어있었다. 팔순에 근접한 의사가 은퇴를 하기 때문이란다. 어쩌면 그래서 환부를 보여줄 때마다 의사는 가타부타 별 말이 없이 똑같은 처방전만을 되풀이 써주었는지도 모른다.

오늘 병원을 들어서면서 난 결심을 다지고 있었다. 이번이 병원을 찾는 마지막이라고. 그건 더 이상의 치료를 포기한다는 뜻이었다. 병원과 의사에 대한 신뢰가 이미 깨져버린 마당에 굳이 불편을 감수하면서 치료를 계속 진행하는 건 의미가 없었다. 그 이면에는 비록 상처가 흉하게 남기야 하겠지만 현재 상태만으로도 생명에 지장을 주거나 불구를 초래할 정도로 심각한 병은 아니라는 확신이 자리했다.

의사에게 환부를 내보이는 나의 태도에 기대감이라고는 완전히 사라져있었다. 의사의 태도 역시 일관되게 사무적이었다. 바지를 반쯤 끌어내렸다가 다시 올리려 할 무렵이었다. 다분히 무성의한 나의 행동이 괘씸했던지 오늘따라 의사가 화를 벌컥 냈다. 그렇게 금방 바지를 올려버리면 어떻게 해요. 다시 바지 벗고 이쪽으로 제대로 누워 봐요. 할 수 없이 난 병상에 몸을 누이며 또 한 차례 바지를 내려야했다. 울긋불긋한 꽃무늬가 만발한 허벅지가 형광등 아래로 훤히 모습을 드러냈다. 이리저리 살피던 그가 말했다. 허벅지와 무릎 쪽은 많이 나아졌네요. 전혀 변화가 없다고 내가 생각하는 그 부분만을 유독 집어서 그는 호전되었다고 말하고 있었다. 내 시선이 자연스럽게 그쪽을 향했다. 그랬더니 이상하게도 반점의 색깔은 한결 연해보였다. 거듭 보았지만 분명 그랬다. 고개를 갸웃거리는데 이틀 후에 다시 병원에 나오라는 의사의 말이 들려왔다.

집으로 돌아와 다시 상태를 살펴보았다. 이전 상태를 사진으로 찍어 보관한 것은 아니기에 정확한 판단을 하기는 어려웠지만 확실히 나아진 듯했다. 의사의 말에 편승해 선입견이 작용한 탓인지 모른다는 생각에 아내에게 환부를 보이며 판단을 구해보았다. 놀랍게도 아내는 의사와 똑같은 반응을 보였다. 짐짓 놀라는 시늉이 결코 꾸며낸 과장은 아닌 것 같았다. 그때서야 너무 높은 기대치가 내 시력을 일시적으로 무력화시켰음을 깨달았다. 당장 완치가 되기를 바라는 내 눈에 서서히 나아가는 병세가 눈에 띌 리 없었던 것이다. 조급함에 눈이 멀어버렸다고나 할까?

난 다시 병원을 다니기 시작했고 일주일 뒤 상처는 씻은 듯이 사라졌다. 오늘 우연히 그 병원 앞을 지나게 되었다. 병원은 공사 중이었다. 간판을 뜯어내는 걸로 보아 예고했던 것처럼 폐업을 한 것이 틀림없었다. 왠지 아쉬워 잠시 멈춰 서자니 어디선가 팔순의 의사가 속삭이는 소리가 들려왔다. 그거 알아? 어떤 병이고 간에 가장 좋은 치료는 나을 수 있다는 믿음이라는 거.

아름다운 혼자생활

언체인드 멜로디, 수인의 노래 아니 해방의 노래

　혼자 방안에서 조용히 라디오를 들을 때였다. 감미로운 선율이 내 귀를 사로잡았다. 언체인드 멜로디였다. 순간 대학시절 보았던 '사랑과 영혼'이라는 영화가 머릿속을 스쳐지나갔다. 패트릭 스웨이지와 데미 무어가 나오는 바로 그 영화.

　내가 이 노래의 제목을 알게 된 것은 그걸 통해서였다. 한참 영화가 상영되는 도중에 노래가 흘러나왔고 나는 익숙한 멜로디에 흠칫 놀라기까지 했다. 그건 당시 내가 꽤나 좋아했던 가수 박일준의 '오, 진아'와 같은 곡이었다. 순식간에 '오, 내 사랑 나의 진아'라며 흐느끼는 듯한 그의 음성이 라이처스 브라더스의 목소리에 오버랩되었다. 그때 처음으로 난 그 노래가 번안곡임을 알았다. 노래의 원제목과 가사가 궁금하지 않을 수 없었다. 하지만 지금처럼 인터넷이 발달한 시대가 아니어서 그걸 알아내기까지는 엄청난 어려움을 겪어야했다. 지금 와서야 그 과정을 깡그리 잊었지만 원하는 자료를 손에 넣었을 때 그 벅찬 감동이 아직도 생생하게 전해지는 걸 보면 당시 호기심이 얼마나 대단했던지 미루어 짐작할 수 있다.

어렵사리 악보를 얻었지만 실망스럽게도 난 그곳에서 커다란 오류를 발견했다. 제목에 오타가 섞여있었던 것이다. 학창시절부터 국어 과목을 좋아해 자의반 타의반으로 맞춤법 실력이 남다름을 인정받고 있었기에 한글로 적힌 영어표기의 오타를 그냥 지나칠 수가 없었다. 유난히 남의 허물을 잘 꼬집는 오만에 가득 찬 자만심은 거기에 불을 지폈다. 하긴 그걸 찾기 위해 들인 나의 노력을 감안한다면 도저히 묵과할 수 없는 문제였으리라.

이승에서 이루지 못한 사랑을 저승에 가서까지 지키려는 영화의 내용으로 보나, 당신의 사랑이 내게 오기를 기원한다는 아름다운 노랫말로 보나, 멜로디라는 명사를 수식하는 형용사는 언체인드가 아닌 언체인지드여야 했다. 내가 아니면 누가 그런 걸 발견하겠냐는 심정으로 함께 있던 친구에게 제법 호기로운 목소리로 그 사실을 알렸던 기억도 뚜렷하다. 난 나의 말에 정당성을 더욱 부여하기 위해 나름의 어휘로 번역까지 서슴지 않으며 잘난 체를 이어갔다. 언체인지드 멜로디, 불변의 노래라는 제목이라면 영화와 썩 어울리지 않겠냐면서.

그로부터 많은 세월이 흐른 어느 날이었다. 기타를 배우겠다며 팝송악보집을 구입해 이리저리 뒤적여 볼 때였다. 책 중간에 그 노래의 악보가 들어있었다. 거기엔 제목이 영문으로 표기되어있었다. 하지만 Unchanged Melody가 아닌 Unchained Melody였다. 이상하다 싶어 눈을 씻고 다시 보았지만 그건 분명 Unchained였다. 더군다나 악보 끄트머리에 붙은 노래에 대한 설명은 나를 경악하게 만들었다. 책의 지은이는 이 노래의 제목이 '언체인드(The Unchained)'라는 감옥을 배경으로 한 영화에서 유래했다는 말과 함께 '수인(囚人)의 노래'라는 우리 말 번역까지 덧붙여두었다. 오랜 기간 계속되던 나의 '오만과 편견'이 명명백백하게 밝혀지는 순간이었다. 다행히 주변에 아무도 없었지만, 그리고 많은 세월이 지난 아주 오래 전의 일이었지만, 부끄러워 고개를 들지 못할 지경이었다. 내가 지인들과의 대화에서 맞춤법이나 영어번역에 대한 언급을 삼간 것은 아마도 그때부터의 일일 것이다.

최근의 일이었다. 직장생활을 할 때 관계를 맺었던 한 사람으로부터 문자를 한 통 받았다. 경조사와 관련된 내용이라 그러려니 하며 별일 아닌 것처럼 화면을 넘겼는데 무엇을 잘못 눌렀는지 그의 프로필이 갑자기 떠올랐다. 공교롭게도 그곳에서 그는 자신을 소개하는 한 마디 단어를 Unchanged Melody로 표현하고 있었다. 나와 똑같은 오해를 한 것이 틀림없었다. 이전의 수치심이 곱다시 되살아나면서 이 사실을 그에게 알려주고 싶었다. 하지만 곧 마음을 고쳐먹었다. 그 자체가 나의 또 다른 오만이라는 것을 깨달은 탓이다. 그는 노래제목이 아닌 자신만이 간직한 별도의 의미를 그 단어에 부여하고 있을지도 모르는 일이 아닌가. 그때서야 그 노래가 자의식에 빠진 나를 진정으로 해방시켜주었다는 생각이 들었다. '수인의 노래'보다 '해방의 노래'로 해석하는 것이 더 적합하다 여긴 것도 그래서였다.

라디오를 들으면서 이런 수치스런 나의 과거가 떠오른 건 결코 우연이 아니다. 시간은 결코 공백을 허용하지 않기에 영원할 것 같던 나의 젊음도 어느새 다 지나가고 어느덧 은퇴의 삶을 살면서 추억을 회상하는 일이 다반사가 되어버린 까닭이다. 오늘따라 왠지 지난 세월을 무척이나 힘들게 살아왔다는 느낌이 강하게 든다. 보이지 않는 감옥에서 영어의 몸으로 살아온 것만 같다. 아무도 나를 구속하지 않았음에도 부와 명예라는 사슬을 스스로 만들어 자신을 옭아맨 것이다.

오늘 이 노래를 들으면서 난 새로운 다짐을 한다. 이제야말로 오만과 편견으로부터도, 욕심으로부터도 진정 해방되겠노라고. 세월의 풍화작용은 이런 내 해방의 노래에 멋진 반주로 응답할 것이다. 불현듯 Unchanged Melody를 프로필 문구로 사용했던 그 지인에게 묻고 싶어진다. 혹시 나처럼 깊은 오해의 골짜기에서 헤매고 있는 것이 아니냐고. 만약 그렇다면 하루빨리 프로필을 고쳐 새로운 해방의 노래를 부르기를 권하고 싶다.

나는 구독자가 무려 62명이나 되는 1인 크리에이터입니다.

이런저런 연유로 늦은 나이에 SNS와 친해졌다. 나이가 들면서 사회와 조금씩 멀어져가는 나의 생활에 그것은 나쁘지 않았다. 소박한 일상이 담긴 사진 몇 장에 평범한 문장 몇 개면 쉽게 글을 올릴 수 있어 좋았고 언제든 그것을 다시 꺼내볼 수 있어 좋았다. 거기다 팔로워나 친구들이 댓글을 달고 공감을 표시해주면 나름의 보람도 느껴졌다. 근교로 나들이를 가거나 해외여행 같은 색다른 경험을 할 때면 SNS활동은 서서히 습관으로 굳어져갔다.

770킬로미터나 되는 동해안의 해파랑길을 완주했을 때였다. 당연히 그 길을 걸으면서도 난 SNS로 소식 전하기를 잊지 않았다. 그 기록들은 책으로 출간할 수 있는 밑거름이 되어주었다. SNS는 책 출간소식을 알리는데도 도움을 주었다. 가장 많은 축하인사를 받은 경로 역시 SNS였다. 축하객 중에 특별한 사람이 있었다. 그는 댓글을 통해 나에게 유튜브 활동을 권했다. 다소 품은 많이 들겠지만 독자

층을 형성하는데 많은 도움이 될 것이라며.

일리가 있는 말이었다. 하지만 유튜브는 내가 엄두를 낼 수 없는 분야였다. 남 앞에 나를 과감히 드러내야한다는 사실도 그랬지만 영상이라는 분야 자체가 나에게는 완전히 신천지였다. 동영상을 찍는 경험도 일천했고 더더욱 그걸 편집하는 일은 아예 불가능했다. 그렇다고 새로운 직업으로 삼을 처지도 아니어서 남을 고용하는 건 생각조차 할 수 없는 노릇이었다. 유튜브는 그저 희망사항으로만 남은 채그 불꽃을 사위어갔다.

아내와 동유럽여행을 계획하던 어느 날이었다. 아내가 이상한 제안을 해왔다. 여보, 우리 이번 여행에서는 동영상을 많이 찍어보자. 여행당시를 추억하려면 사진보다 그게 낫지 않겠어? 그 말은 유튜브라는 단어를 떠올리는 불쏘시개가 되었다. 난 여행을 하면서 사진과는 별개로 핸드폰의 동영상 버튼을 마구 누르기 시작했다. 나중에 어찌되든, 잘 찍든 아니든, 일단 기록을 남겨두는 것이 가능성의 폭을 넓히는 길이었다.

유튜브 영상의 소스가 동영상만이 아님을 알게 된 건 동유럽여행에서 돌아온 며칠 뒤였다. 지식의 확장 차원에서라도 영상편집에 대해일자무식은 면해보자며 편집소프트웨어 활용강좌를 듣는 과정에서난 사진을 슬라이드형식으로 넘김으로써 동영상의 효과를 낼 수 있다는 걸 알았다. 그건 크리에이터를 향한 나의 희망이 결코 무모하지 않다는 말이었다. 영상의 필수요소라 할 수 있는 부연설명도 음성이나 내레이션이 아닌 자막으로 처리할 수 있었다. 그 말은 내가좋아하는 사진과 글과 책을 고스란히 영상의 세계로 옮겨올 수 있다는 뜻이었다. 그때부터 난 영상편집 배우기에 열을 올렸고 급기야 동유럽여행 중 첫 번째 여행지였던 프라하에서 찍은 사진과 동영상을 묶어 15분짜리 영상을 완성했다. 이어 유튜브에서 케니TV라는 채널을 개설한 후 그 영상을 첫 데뷔작으로 올리기까지 했다. 케니는 나의 영어이름이었다.

채널개설 소식은 아내에게 제일 먼저 전했다. 아내는 영문도 모른 채 나의 지시에 따라 TV를 켜고 자신의 유튜브 계정을 통해 내 영상을 검색했다. 우린 나란히 앉아 영상을 시청했다. 비록 어설픈 면이 여러 곳에서 발견되었지만 아내는 영상을 보는 내내 장면마다 떠오르는 기억을 혼잣말로 뱉어냈다. 재생이 끝나자 여행당시의 감동이 다시 전해온다며 엄지손가락을 치켜세우는 행위도 마다않았다. 아내가 좋아요 버튼과 구독버튼을 꾹 눌렀다. 내 채널의 첫 구독자와 영상의 첫 시청자가 탄생하는 순간이었다. 그날부터 난 무딘 손으로 다른 여행 도시들의 영상을 계속 만들었고 일주일에 한 차례씩 어김없이 아내를 거실의 소파에 앉힌 뒤 시사회를 개최했다. 그때마다 만족해하는 아내의 모습을 바라보면서 나의 보람은 커져갔다.

구독자수와 영상조회수를 늘리려는 노력도 게을리하지 않았다. 퇴근한 딸아이에게 구독을 강요하는가 하면 아들내외에게도 채널링크를 문자로 보내며 구독 좋아요는 필수라는 말을 덧붙여 반 협박을 해댔다. 늘 이용하던 SNS를 통해 채널개소소식을 알린 것은 물론, 몇 안 되는 죽마고우들에게까지 문자를 보내는 추태까지 부렸다. 그럼에도 그 수는 좀체 늘지 않았다. 한 달이 지나자 구독자는 겨우 50명에 도달해있었다. 매주 엄청난 시간을 쏟아 부은 결과치고는 못마땅했다. 구독자 한 명을 늘리는 일이 얼마나 힘든 일인지 새삼 깨닫는 계기가 되었다.

　채널을 열어볼 때마다 +1이라는 숫자가 간절해지기만 했다. 그런데 청천벽력 같은 일이 벌어졌다. 늘어야 할 구독자 수가 외려 줄어드는 일이 발생한 것이다. 매일같이 초미의 관심사였으니 내가 숫자를 잘못 기억했을 리는 없었다. 분명 구독자는 전날보다 한 명 줄어 있었다. 그때서야 나는 스스로를 돌아보게 되었다. 얼마나 실망스러웠으면 구독을 했다가 취소해버렸을까?

　문득 일련의 사건이 교훈처럼 연이어 떠올랐다. 어느 날 매일같이 10킬로미터를 달리던 내가 그 거리를 늘리겠다며 12킬로미터를 달리기 시작했다. 며칠을 계속하자 허벅지에 통증이 찾아왔다. 난 근육이 발달하는 과정이라 생각하며 무시해버렸다. 그러나 그건 나의 착각이었다. 무리를 무릅쓰고 계속 달린 덕분에 사태는 악화되어 결국 난 일주일 간 병원신세를 져야했다. 쓸데없는 경쟁을 하는 바람에 문제를 일으킨 적도 있다. 평소의 스피드로 아침달리기를 하는데 뒤에서 나타난 다른 달리미가 나를 앞질러 갔다. 달리기라면 누구에게든 결코 뒤지지 않는다는 자부심은 자만심을 부추겼고 난 그의 뒤를 쫓기 시작했다. 오버페이스의 결과는 처참했다. 불과 3킬로미터를 못가 난 호흡에 문제를 일으켰고 평소 문제없이 달리던 거리마저 채우지 못한 채 그 자리에 멈춰서고 말았다. 그때부터 나의 달리기 목표이자 페이스메이커는 '어제의 나'로 바뀌었다. 내 신체의 노화를 고려하면 그것이야말로 엄청난 진보가 아닐 수 없었다.

　유튜브 구독자수 역시 똑같은 문제였다. 내 능력은 생각지도 않고 구독자수가 늘어나지 않는 것만 불평하고 있었다. 아내만 만족시킬 수 있다면, 우리들의 추억을 되새길 수만 있다면 그만이라던 초심은 온데간데없이 사라지고 구독자 수를 늘리려는 욕심에만 사로잡혀 있었다. 정작 중요한 건 구독자를 늘리는 것이 아니라 이미 찾아온 구독자를 놓치지 않는 일이었다. 난 목표를 즉각 수정했다. '+1'이 아니라 '0'을 고수하는 것으로. 그렇다고 목표의 달성이 수월한 건 아니었다. 그들을 지키기 위해서는 끊임없이 영상을 업데이트하고 업로드해야 하며 그 질을 높여야 할 것이다.

 오늘로써 나의 구독자는 62명이 되었다. 그건 나의 능력에 비추어 보면 분명 과분한 수치다. 그렇다면 여기에도 상대성 원리를 적용시켜봄직하다. 나에게 있어 유지는 성장의 또 다른 표현이라고 말이다.

한 달에 하나씩 버려 가벼워지기

날씨가 많이 따뜻해졌다. 집 안이지만 굳이 일기예보를 보지 않아도 느껴졌다. 실내온도가 22~3도를 오가면서 한결 한기가 가시었고 창밖으로 보이는 사람들의 옷차림이며 행동들도 가벼웠다. 아침 운동을 나가기 위해 운동복을 찾다가 오늘부터는 옷차림을 좀 바꿔보리라 마음먹었다. 따뜻해진 만큼 두꺼운 옷이 아니어도 달리는 에너지만으로 체온보상은 충분할 것이다. 상하의 모두 트레이닝복을 벗고 반바지 차림에 티셔츠를 찾아 입었다. 핫팩은 말할 것도 없고 장갑이며 비니모자도 던져버렸다. 몸놀림이 가뿐한 게 왠지 체중이 쏙 줄어든 기분이었다.

하천변을 달렸다. 세월이 갈수록 봄이 게으름을 부린다 생각했지만 올해도 봄은 제 시간에 맞춰 와있었다. 오늘따라 날씨도 맑았고 미세먼지도 보이지 않았다. 많은 사람들이 걷거나 달리며 찾아온 봄을 향유하고 있었다. 상쾌했다. 겨우내 늘 부담만 안겨주던 달리기였는데 실로 오랜만에 맛보는 편안함이었다.

 어쩐지 보폭이 길어지고 걸음수가 늘어난 듯했다. 호흡도 안정적이었고 땅을 박차는 발걸음에도 힘이 실렸다. 아니나 다를까 스마트워치가 알려주는 오늘의 내 몸 컨디션은 최상이었다. 심박수도 구간별 기록도. 욕심이 슬슬 생겼다. 이 정도라면 근래 들어 최고기록을 경신할지도 모른다. 오버페이스야말로 가장 경계해야할 놈이지만 한번 도전해볼만하다는 기대감이 모락모락 피어났다.

 반환점을 돌면서부터는 더욱 기록을 의식했다. 몸 상태에 크게 변화가 없었음에도 기록은 여전히 호조였다. 기대는 점점 커졌다. 목표지점을 불과 1킬로미터 앞둔 지점에 이르자 막판스퍼트를 가동할 수도 있으리라는 자신감이 넘쳐흘렀다. 서서히 속도를 끌어올렸다. 다소 호흡이 거칠어진 면은 없지 않았지만 충분히 견딜 수 있는 수준이었다. 마침내 골인했다. 기록을 확인했다. 평소보다 5분이나 단축되어있었다. 킬로미터 당 환산하면 30초를 줄인 것이니 대단한 기록이다.

 곰곰이 원인을 분석해보았다. 나의 체력이 갑자기 좋아질 리는 만무했다. 해답은 바로 봄이었다. 운동에너지가 동일하면 질량과 속도의 제곱 사이에는 반비례관계가 형성된다. 봄의 따뜻한 기운이 나의 옷차림을 가볍게 만드는 바람에 속도가 빨라진 것이다. 과연 그럴까 의심을 버리지 못해 집으로 돌아와 오늘 벗은 옷가지들의 무게를 재보았다. 옷이며 장갑과 모자, 핫팩까지 모두 저울 위에 올렸더니 무려 1킬로그램에 육박했다. 결코 무시할 수 없는 무게였다.

 문득 우리가 걸어가는 인생길도 마찬가지가 아닐까 하는 생각이 들었다. 주변의 모든 것들을 툭툭 털어버리면 훨씬 가벼운 발걸음을 할 수 있으련만 버리지 못하고 끌어안은 채 살다보니 힘들어지는 것이리라. 실상 우리는 갑옷으로 무장한 채 살아가고 있다. 그 갑옷은 워낙에 견고하기도 하고 오래된 것이어서 마치 피부처럼 체화된 것이다. 비단 부와 명예에 관한 욕심만이 아니라 인간관계에서 생기는 집착과 미련, 불필요한 걱정과 근심, 타인보다 비교우위를 점하려는 욕망, 이 모든 것들이 우리를 무겁게 짓누르는 갑옷의 원재료들이다. 문제는 평범한 인간으로서는 본능에 가까운 그것들을 쉽사리 떨쳐버릴 수 없다는 점이다.

간단하고 쉽게 접근할 수 있는 방법은 없을까? 고민 끝에 난 일월일기(一月一棄)라는 목표를 세웠다. 무엇이 되었든 내 몸에 끈질기게 붙어있는 것 중에서 한 달에 하나씩 버리기로 한 것이다. 영원히 버리기가 어려워 중도에 포기하는 일이 생길까봐 버림의 기간은 최소한 그 달 한 달은 무조건 유지하는 것을 원칙으로 삼았다. 대상은 아무리 보잘 것 없는 것이어도 상관없다. 나를 구속하고 속박하던 것이면 충분하다. 대신 구체적이면서 실천할 수 있는 것이어야 한다. 많은 것들이 있겠지만 먼저 가장 쉬운 습관에서부터 출발하기로 했다. 그동안 내가 키워온 좋지 않은 버릇이 얼마나 많던가.

첫 번째로 이번 달에는 무알콜맥주를 버리기로 했다. 아주 오래 전부터 맥주는 나에게 최고의 기호식품이었다. 한 잔 두 잔 즐기는 맥주는 시간이 지나면서 그 양과 횟수를 늘려갔다. 그러던 어느 날 우연히 마트에서 좀 색다른 외국산 무알콜맥주를 만나게 되었는데 의외로 맛과 향이 나에게 잘 맞았다. 은근히 음주량이 걱정되던 나는 맥주의 종류를 그것으로 바꾸었다. 무알콜이라는 점에서 음주량의 문제는 쉽게 해결되었지만 오히려 그 점이 안심요소로 작용해 양이 조금씩 늘어가는 문제가 생겼다. 무알콜이긴 하지만 그 속에 함유된 탄산은 나의 지병이다시피 한 역류성 식도염을 악화시켰고 이젠 그것이 외려 나를 괴롭히는 요인이 되고 말았다. 내가 첫 번째 버리는 과제로 무알콜맥주를 선택한 이유는 바로 그 때문이다.

 물론 그것을 버리는데 성공하더라도 곧 요요현상이 생길지도 모르고 또 다른 더 나쁜 버릇이 찾아오는 부작용이 나타날 수도 있다. 분명한 건 버리고 버리다보면 가벼워지는 날은 반드시 오게 되어있다는 점이다. 오늘 내가 겨울옷을 벗어버림으로써 최고의 기록을 달성했던 것처럼 하나씩 버려진 나의 나쁜 습관들은 언젠가 나를 인생 최고의 전성기로 인도해줄 것이라 확신한다.

나의 가장 든든한 뒷배는 바로 나다.

아침 달리기를 하다가 넘어지는 사고가 발생했다. 4킬로미터쯤 달렸을 때였다. 팔꿈치와 종아리 근처에 가벼운 찰과상을 입었다. 크게 다치지 않아 다행이었지만 그건 나를 다분히 우울하게 만들었다. 위험한 곳도 아니고 도로에 큰 문제가 있었던 것도 아니었는데 넘어졌다는 사실 때문이다. 그건 바로 내 몸의 반사 신경이 둔화되었다는 뜻이며 내 신체가 그만큼 노화되었다는 의미가 아닐 수 없다.

아닌 게 아니라 최근 들어 조금이라도 위험요소가 보이면 부쩍 조심하게 된다. 집안 전등을 교환할 때면 내가 올라서야 하는 의자의 상태가 튼튼한지를 몇 번이나 점검하기도 하고, 어쩌다 침대 위로 올라서야 할 일이 있으면 다리를 낮게 들어 올려 넘어지는 일이 없도록 발의 위치를 직접 눈으로 확인하는가 하면, 몸을 돌리거나 방향을 바꿀 때는 주변에 나의 행동에 방해를 주는 물건들이 없는지 살펴보곤 한다. 달릴 때도 마찬가지다. 이전에도 넘어진 적이 있었기에 전방에 단 몇 센티미터라도 높낮이의 차이가 보이면 조심스레 발걸음을 옮긴다. 그럼에도 불구하고 오늘 또 넘어졌으니.

 스스로에 대해 이렇게 실망까지 하는 건 아마도 늙어간다는 것을 인정하기 싫어서일 것이다. 몸은 하루하루 쇠락해가지만 정신만은 멀쩡해서 다른 사람은 다 그래도 나는 그러지 않을 것이라며 욕심을 부리는 탓이다. 흘러가는 세월에 순응할 때 마음도 편해지는 법이거늘 그것을 굳이 부정하려 애를 쓰는 허세가 아닐 수 없다. 그렇다고 달라지는 것은 아무 것도 없음에도 말이다.

 내가 남들보다 운동을 더욱 열심히 하려는 이유도 따지고 보면 그 때문이다. 더 이상 체력이 저하되는 것을 막아 현재의 상태를 유지하려는 게 목적이니까. 사실 오늘 사태의 궁극적인 원인도 거기서 비롯된 일인지 모른다. 어제의 기록에 뒤처지지 않으려 발버둥치다 보니 주의력과 집중력이 흐트러진 탓이다. 물론 체력을 유지하려는 노력이 나쁜 건 아니다. 하지만 세월을 거부하려 안간힘을 쓸 것까지는 없다. 그것이야말로 과도한 집착이요 욕심일 따름이다. 왜냐면 그런다고 해서 영원히 그럴 수는 없기 때문이다. 그저 노화를 조금 늦추고 비교적 건강한 상태를 유지하는 것만으로 만족하면 되는 일이다.

 나이가 들면 행동은 굼뜨고 느려진다. 위기상황이 닥쳤을 때 거기에 대응하는 무의식적 반응이 신속하게 이루어지지 않으니 사전에 그런 상황에 노출되지 않도록 미리 피하려는 것이다. 분명한 건 그런 형태로도 위기는 얼마든지 방지할 수 있다는 점이다. 달리다 넘어지지 않기 위해서도 유연성과 순발력을 갖추는 것만이 유일한 방법은 아니다. 중심을 잃는 순간 재빨리 복원할 수 있는 능력이야말로 더할 나위 없이 좋은 방법이겠지만 몸의 중심을 잃지 않도록 미리 대비하는 것 또한 훌륭한 방법이다. 좀 느리더라도 주의 깊게 주위를 살피며 달린다면 애당초 넘어질 일도 없지 않을까? 더구나 나처럼 육십을 넘은 나이라면 몸의 기능이 쇠퇴하는 것을 탓하기보다 쇠퇴되어가는 몸에 알맞은 다른 대응수단을 강구하는 것이 오히려 현명한 일이다.

오늘 넘어진 것도 자연스런 현상으로 치부하면 그뿐이다. 왜 내가 별 것 아닌 돌부리 하나에 몸의 중심을 잃어버렸는지, 잠시 비틀거리다 말 일을 넘어지고 말았는지 자책할 필요는 더더욱 없다. 신체적 기능이 저하되었다고 해서 스트레스를 받을 정도로 젊은 나이가 아님을 받아들여야한다. 기록이나 체력, 뭐 그런 것에 지나치게 애면글면할 필요 또한 없다. 여태껏 바쁘게만 살아왔으니 지금부터는 좀 느려지면 어떤가. 나의 힘으로 어찌할 수 없는 일을 두고 나를 윽박지르는 일만큼 어리석은 일은 없다. 세상에 나보다 더 중요한 사람이 어디 있는가. 또 나를 가장 아끼고 소중히 여기는 사람이 바로 내가 아니던가. 그런 의미에서 나를 책망하기보다는 나를 두둔하고 더욱 용기를 북돋워줘야 한다. 나의 가장 든든한 뒷배는 바로 나라는 걸 한순간도 잊어서는 안 된다.

나이가 들면 자신의 얼굴에 책임져야 한다.

 모처럼 헬스장을 찾았다. 복지 차원에서 아파트주민자치회가 값싼 비용으로 운영하는 곳이다. 근육질의 몸매와는 거리가 먼 나에게 전혀 어울리지 않는 장소지만 오늘 내가 그곳을 찾은 궁극적인 이유는 미세먼지 탓이다. 매사 게으름으로 무장하고 살면서 그나마 운동이랍시고 유일하게 몸을 놀리는 일이 아침 달리기인데 미세먼지 경보가 그것조차 못하게 막아선 것이다. 안 그래도 기관지가 좋지 않아 가래기침을 달고 사는 처지였으니 오늘같이 대기 질이 좋지 않은 날 야외활동은 나에게 부담일 수밖에 없다. 약을 구하려다 독을 얻는 결과를 초래할 수도 있다. 아파트의 헬스장을 이용하면 그것 말고도 좋은 점이 또 있었다. 바로 아래층에 갖추어진 목욕탕에서라면 운동으로 흘린 땀을 씻어내는 것은 물론 긴장된 근육을 이완시키기에도 안성맞춤이었다.

 간단히 몸을 푼 후 트레드밀 위를 한참 달릴 때였다. 나이 지긋한 어르신 한 분이 대걸레로 바닥을 닦게 시작했다. 관리실에서 고용한 헬스장 청소부였다. 오랫동안 그 일을 한 탓인지 그는 구획을 나누어 자신만의 순서로 꼼꼼하게 닦으면서 차츰차츰 내가 있는 곳으로 접근해왔다. 달린지 꽤 시간이 지났을 뿐 아니라 원래부터 땀이 많은 내 주변에는 여기저기 땀방울들이 튀어있었다. 때문에 그의 걸레질은 나를 둘러싸고 꽤 긴 시간 이어졌다. 나보다 나이가 훨씬 많은 어르신에게 괜한 고생을 시킨 것 같아 민망한 마음이 들었지만 도중에 달리기를 그만두지 못해 난 애써 모르쇠로 일관했다. 달리다 멈춰서면 다시 달리는 일이 몇 배나 힘들어진다는 핑계를 마음속으로 들이대며 자신을 합리화하는 일도 잊지 않았다.

결국 10킬로미터를 다 채우고서야 트레드밀은 작동을 멈추었다. 운동복은 상하의 모두 땀으로 흥건히 젖어있었다. 덩달아 기구의 위는 물론 주변 바닥에도 땀이 흩어져 방금 전에 행한 어르신의 청소를 무색하게 만들었다. 아무리 비용을 지불하는 이용자와 급여를 받는 청소부의 관계라 하더라도 무안함을 감출 수가 없었다. 난 휴지가 비치된 곳으로 가 두루마리를 한 움큼 풀어낸 뒤 그것으로 바닥이며 기구들을 닦기 시작했다. 완벽한 청소가 될 리는 없겠지만 최소한의 에티켓은 발휘해야겠다는 생각에서 나온 궁여지책의 일환이었다.

그 사이 어디선가 어르신이 다시 나타났다. 여전히 대걸레를 쥔 그는 내 어깨를 툭 치더니 비켜나라는 뜻으로 손목을 휘저었다. 주춤주춤 물러나는 나를 향해 농담조의 말도 잊지 않았다. 괜히 남의 일자리 뺏을 생각 마시우. 눈가에 환한 웃음이 걸린 게 아주 온화한 표정이었다. 거침없이 내지르는 그의 걸레질에 땀의 흔적은 순식간에 사라졌다. 죄송합니다. 제가 번거롭게 해드렸군요. 나도 모르게 사과의 인사가 튀어나왔다. 무슨 말씀을. 이게 내 일인데 뭐. 열심히 뛰는 게 보기에 좋기만 하던 걸. 그의 얼굴에 서린 나이테 같은 주름 사이로 푸근함과 친근감이 잔뜩 묻어났다.

문득 나이가 들면 자신의 얼굴에 책임을 져야한다던 에이브러햄 링컨의 말이 생각났다. 자신이 하는 행동이나 품은 생각이 세월이 흐르면서 고스란히 얼굴 모습으로 드러난다는 뜻의 바로 그 말. 그건 또 거울을 대할 때마다 욕심과 고집이 뒤룩뒤룩 배어나오는 내 얼굴을 보면서 제발 더 이상 흉한 모습으로 늙어가지 않았으면 바라는 마음을 품게 하던 말이기도 하다. 어르신의 얼굴은 내가 바라던 바로 그런 모습이었다. 아마도 긍정적인 마인드와 유머가 그걸 만들어 냈으리라. 새삼 느끼는 바가 컸다.

운동을 끝내고 목욕탕을 찾았다. 샤워를 끝내고 사우나 실에서 건식찜질을 즐기는데 또 다른 어르신 한 분이 문을 열고는 얼굴을 빼꼼 내밀었다. 온도 괜찮아요? 혹 뜨겁지 않아요? 질문하는 내용이나 목욕탕 안에서 옷을 입은 것으로 보아 그곳에 고용된 사람이 틀림없었다. 딱 적당하다는 말로 만족스러움을 표시하는데 그의 말이 이어졌다. 이런, 여기에 땀이 많이 고였네. 자칫하면 미끄러지겠구면. 흥건할 정도로 땀이 고인 그곳은 역시나 바로 내 앞이었다. 몸 둘 바를 몰라 하는데 어느 샌가 그는 마른 대걸레를 가져와 그곳을 닦기 시작했다. 감사합니다. 그저 가만있기 미안했던 나머지 엉겁결에 내뱉은 말이었다. 무슨 말씀을. 급여를 받는 값은 해야 할 것 아니우. 그의 얼굴에서도 웃음꽃은 사라지지 않았다. 뿐만 아니라 인자함이 가득 퍼져나 헬스장 어르신만큼이나 자신의 얼굴에 책임을 지는 분으로 여겨졌다.

땀을 흠뻑 흘릴 정도의 운동과 몸을 깨끗이 씻어낸 목욕에 더해 두 분의 친절은 나의 기분을 최고조에 이르게 했다. 흐뭇한 마음으로 집으로 돌아오는 길에 엘리베이터에서 앞집 아저씨를 만났다. 내가 매일 달리기를 한다는 걸 알고 있던 그는 오늘도 그걸 화제로 삼았다. 정말 대단하세요. 그렇게 열심히 운동하면 매년 건강검진 같은 건 필요도 없겠어요. 그 말에 난 며칠 전 받은 검진결과를 떠올리지 않을 수가 없었다.

거기엔 내시경 결과 역류성식도염과 위염증세가 있으며 콜레스테롤 수치가 높으니 경계해야한다는 소견이 붙어있었다. 음주라는 나쁜 습관이 가져다준 결코 건강하다고 말할 수 없는 성적이었다. 속 빈 강정이라는 생각이 들었다. 아울러 나야말로 내 얼굴에 대해 전혀 책임을 지지 않았다는 사실을 깨달았다. 앞집아저씨는 나를 좋은 습관을 가진 건강한 남자로 여기며 부러워했지만 사실 난 매일같이 음주와 나쁜 식습관으로 건강을 해친 무절제한 사람에 불과했다. 그것이야말로 남을 기만하는 행위인지도 모른다.

몇 년 후 나의 모습을 상상해보았다. 주름살투성이에 일그러지고 심술보가 주렁주렁 달린 보기에도 흉한 노인네가 그려졌다. 닮고 싶다던 헬스장이나 목욕탕 어르신과는 정반대의 얼굴이었다. 그걸 막으려면 지금이라도 내 몸과 얼굴에 알맞은 책임을 져야만 한다. 다른 사람에게 겉모습이나마 건강하게 보였다면 거기에 대한 책임 의식을 갖고 건강해지려 노력해야한다. 그걸 게을리 하는 순간 나쁜 생활습관에 맞춰 흉악하고 포악한 모습으로 변해갈 것이고 그건 다시 나쁜 언행과 태도를 낳으며 악순환을 거듭할 것이다. 갑자기 두려워졌다. 자신의 얼굴에 책임을 져야한다는 말이 이렇게 무섭다는 걸 비록 늦었지만 지금이나마 깨닫게 된 건 행운이 아닐 수 없다.

만년필, 화려한 과거의 상징

 책을 읽다 메모를 하기 위해 필통을 열었다. 웬일인지 쓰지 않던 만년필이 눈에 띄었다. 아주 오래 전 아내가 생일선물로 사준 것이다. 하려던 일을 망각한 채 무심코 그것을 집어 뚜껑을 열었다. 그리곤 메모지에 펜촉을 꼭꼭 눌러가며 낙서를 해보았다. 아무 것도 써지지 않았다. 그걸 사용했던 기억조차 가물가물하니 당연한 일이다. 아니 잉크가 흘러나오기라도 했다면 오히려 그게 이상했을 것이다.

 거기서 멈추지 않고 내부를 분해해보았다. 펜에 연결된 잉크통은 하얗게 그 속이 비어있었다. 만년필은 잉크를 직접 넣는 방식이 아닌 잉크통을 통째로 교체하여 사용하는 방식이었다. 공교롭게 필통 안에는 가득 채워진 잉크통도 세 개나 남아있었다. 잉크통을 갈아 끼웠다. 잉크는 여전히 나오지 않았다. 펜촉까지 가는 잉크의 통로가 장시간 사용하지 않으면서 엉겨 붙은 게 틀림없었다.

 내친 김에 그걸 고쳐볼까 하는 생각이 들었다. 따뜻한 물로 펜촉부분을 데우면 엉긴 잉크가 녹아내릴지 모른다. 욕실로 가 온수를 틀고 펜촉을 수도꼭지 쪽에 갖다 댔다. 응고되었던 검은색 잉크가 용해되며 세면기를 타고 배수구로 흘러들었다. 적당한 시간이 경과되었다 싶을 때쯤 만년필을 메모지에 대고 다시 글씨를 써보았다. 펜의 움직임이 한결 부드러워지면서 펜촉을 따라 검은 선이 이어졌다.

 문득 이상하다는 생각이 들었다. 오늘 난 왜 만년필을 꺼내 써보았던 것일까? 평소 관심이 없던 물건에 우연히 눈길이 가면서 그저 호기심이 동한 것일까? 아무리 생각해도 그건 아닌 것 같다. 왜냐하면 필통을 열고 닫는 일이 나에게는 매일의 습관과도 같은 일이어서 그 속에 든 만년필을 오늘에서야 새삼스레 발견한 것은 아니기 때문이다. 그렇다면 왜 그걸 굳이 고쳐 쓰려고까지 마음을 먹었을까? 그건 아마도 오늘의 내 심리적 상황과 연관이 있을 것이다.

 오늘따라 유독 내가 돌아갈 곳이 그 어디에도 없다는 생각에 사로잡혔었다. 부슬부슬 비가 내렸고, 도서관에서는 늘 보이던 내 또래의 사람이 벌써 며칠째 보이지 않았으며, 어떤 신문에서 대기업 입사동기였던 한 친구가 중역으로 승진했다는 기사를 발견했을 뿐 아니라, 오랜 벗은 바쁜 일정 탓에 며칠 후의 만남을 깨트려야겠다는 연락을 보내온 상태였다. 모두가 맡은 바 사회적 역할을 다하고 있었지만 아직 이른 나이에 은퇴의 삶을 살고 있는 나는 아무 짝에도 쓸모없는 존재로 전락하고 말았다는 상상에서 벗어날 수가 없었다. 자연히 과거를 향한 미련과 그리움은 클 수밖에 없었고 집착은 심해져 있었다. 그때 내 화려했던 과거의 상징물인 만년필이 발견되었으니 그걸 고쳐 다시 사용할 수 있다면 과거로의 복귀도 가능하리라 무의식적으로 생각했던 건지도 모른다.

 만년필을 쥐고 마구 낙서를 하기 시작했다. 어렴풋이 아내가 그걸 선물했을 때의 일들이 기억나기 시작했다. 무려 십여 년도 더 지난 일이다. 그때 아내는 만년필을 전해주며 글을 써보라고 말했다. 어릴 때부터 작가를 꿈꾸어오던 나임을 잘 알았던 까닭이다. 비록 작가는 되지 못할망정 쓰다보면 좋은 취미생활은 되지 않겠냐면서. 그러겠노라 그 자리에서 철석같이 대답을 했으면서도 돈벌이에 바쁘다는 핑계로 난 약속을 지키지 않았다. 만년필은 그저 직장에서 문서결재를 하거나 메모를 하는 용도로만 사용되었을 따름이다.

 지금이라도 아내와의 약속을 지켜보고 싶은 생각이 불쑥 머리를 치켜들었다. 그래, 이것으로 글을 써보자. 비록 만년필로 글을 쓰는 시대는 아니라지만 최소한 글을 쓰기 위한 도구로 활용할 수는 있지 않겠는가. 필사를 하면서 사용할 수도 있고 글감에 대한 메모용으로도 쓸 수 있을 것이다. 그러자 과거를 바라보던 내 시선에 변화가 생겨났다. 문청을 꿈꾸던 젊은 시절로 되돌아갈 수도 있으리라는 희망이 꿈틀거렸다. 세월이야 돌이킬 수 없지만 그때의 꿈을 다시 꿀 수야 있는 일이 아니겠는가. 거기다 결코 불가능한 일도 아니다. 단지 조금 늦은 것뿐이다. 만년필을 불끈 움켜쥐었다. 메모지에는 '운명', '신춘문예', '낙오자', '과거', '진취자', '내일' 같은 단어들이 횡으로 종으로 엇갈려가며 써지고 있었다.

내 시계가 내는 알람소리

 탁상시계가 하나 생겼다. 딸애가 독립을 해나가면서 자신이 쓰던 것을 내게 무슨 큰 선물을 주듯 안기고 간 것이다. 내심 반가웠다. 내 방에 따로 마련된 시계가 없어 시간을 알고 싶을 때마다 핸드폰의 화면을 두드려대곤 하던 불편이 사라지게 생겼으니 말이다. 뿐만이 아니다. 비염으로 인한 코 막힘 증상 때문에 주구장창 가습을 해대는 통에 온 방이 곰팡이의 온상이 될 지경이라며 핀잔을 주곤 하던 아내와 더 이상 씨름할 일도 없어졌다. 시계에 내장되어있는 습도계는 그야말로 가습의 필요여부를 판가름해줄 바로미터가 되어줄 게 틀림없었다.

 건전지를 새로 사다 넣자 시계는 디지털이라는 이름에 걸맞게 순식간에 화면 곳곳에 여러 가지 수치를 띄워주었다. 그러나 싸구려임을 알리기라도 하듯이 리얼타임클록이 제공되지 않아 모든 수치들을 직접 설정해야했다. 설명서야 당연히 사라진지 오래였지만 평소 이런저런 스마트기기들을 사용해왔던 나는 자신감으로 무장한 채 시계 뒷면에 있는 설정버튼과 마주했다. 버튼은 톱니바퀴 모양 하나에, 위와 아래로 향한 화살표 모양이 각각 하나씩 총 세 개였다.

단박에 모든 버튼의 기능을 섭렵할 수는 없었지만 지레짐작으로 세 가지를 때로는 길게 때로는 짧게 눌러가며 화면의 변화를 관찰한 결과 대충 감이 잡혔다. 연도와 날짜에 이어 시간 설정이 순조롭게 마쳐졌다. 마지막 남은 것은 알람기능이었다. 아무래도 그건 시계 윗면 한가운데 있는 또 하나의 버튼과 연관이 있어보였다. 물리적인 버튼이 아니라 그저 평면상에 Snooze라고만 씌어있을 뿐이지만 그곳에 손을 갖다 댈 때마다 '삑' 하는 소리와 함께 시계 화면에 불이 들어왔기 때문이다. 하지만 시계는 좀처럼 자신의 은밀한 기능을 드러내려하지 않았다. 근 한 시간 가까이 붙들고 늘어졌지만 난 원하는 대로 알람을 설정할 수 없었다. 결국 공대출신이라는 간판마저 집어던지며 포기를 하는 수모를 곱다시 감당해야했다. 뭐 알람이야 그다지 중요한 기능이 아니니……. 혼잣말이 나 자신을 합리화할 수 있는 유일한 위로였다.

이런저런 일로 밤늦게까지 시간을 보낸 후 막 잠이 들었을 무렵이었다. 갑자기 알람소리가 크게 울렸다. 다름 아닌 새로 생긴 탁상시계에서 나는 소리였다. 얼른 시계를 집어 알람을 죽이려 했지만 방법을 알 수가 없었다. 아무 버튼이고 마구 눌러댔다. 소용이 없었다. 그 사이 소리의 주기는 점점 짧아져 마침내 숨이 넘어가는 수준에까지 이르렀다. Snooze라 적혀있던 부분이 떠올라 엉겁결에 거기에 손가락을 가져갔다. 다행히 발악이 멈추었다. 한숨을 쉬며 시계의 화면을 쳐다보았다 새벽 네 시였다.

다시 머리를 눕혀 정신이 가물가물할 때였다. 알람이 또 울기 시작했다. 그때서야 Snooze라는 단어가 알람을 완전히 끄는 것이 아니라 잠시 잠재워두는 것을 뜻한다는 것이 기억났다. 다시 시계를 부여잡고 알람을 끄기 위해 온갖 시도를 다했다. 불행하게도 알람은 그치질 않은 채 피를 토하듯 절규하기에 이르렀다. 방법이 없던 나는 건전지를 분리하는 최후의 수단을 동원할 수밖에 없었다. 결국 알람을 죽이는데 성공했지만 그때는 내 잠도 죽어버린 뒤였다. 아마도 초기설정을 하는 과정 중에 무언가를 잘못 동작시키는 바람에 새벽 네 시에 알람설정이 되었을 거라는 추정만이 머릿속을 황량하게 배회하고 있었다.

그때부터 인터넷을 검색하며 알람설정방법을 캐내려는 노력이 시작되었다. 감히 상상할 수도 없이 드넓다는 사이버공간이었지만 제작사의 이름마저 제대로 적혀있지 않은 중국산 시계의 설명서는 어디서도 발견되지 않았다. 그나마 재설정을 하는 과정에서 알람이 설정되면 시계그림의 표시가 나타난다는 사실을 안 것이 소득이라면 소득이었다. 인정하고 싶지는 않았지만 그동안 자랑스레 간직하던 자칭 디지털노마드의 호칭은 온데간데없었다. 불행 중 다행이라면 알람이 Off된 상태로 모든 설정을 마무리 지었다는 점이라고나 할까?

그로부터 며칠이 지난 후였다. 한밤중에 또 다시 알람이 울어 젖히는 사태가 발생했다. 난 여지없이 탁상시계의 재범을 의심했지만 이번에는 달랐다. 탁상시계는 지난날의 죄과를 반성하며 묵언수행 중이었고 대신 스마트워치가 포효하고 있었다. 스마트워치야 종종 내가 알람기능을 사용하곤 했으니 잠재우는 일이 그리 어렵지는 않았다. 원치 않는 알람이 작동한 원인 또한 쉬 밝혀냈다. 아침 달리기를 한 후 샤워를 할 때마다, 착용했던 워치의 표면에 묻은 땀을 씻어내기 위해 물 세척을 한 것이 문제였다. 세척과정에서 버튼들이 잘못 눌러져 저절로 알람이 설정되어버린 것이었다. 덕분에 난 또 하루치 잠을 고스란히 반납하고 말았다.

그 이후 새로운 버릇이 생겼다. 탁상시계를 쳐다볼 때면 알람표시가 켜져 있는지를 확인하게 되었고 스마트워치를 세척한 후에는 알람기능이 켜진 건 아닌지 살펴보게 되었다. 그건 무심코 내가 저지르는 일이 또 다른 문제를 야기할 수 있다는 가르침도 던져주었다. 자신도 모르는 사이에 살생을 저지를까 봐 발걸음조차 조심스레 옮긴다는 불가의 스님들 심정이 이해되기도 했다. 그런 의미에서 알람은 말 그대로 나에게 경종(警鐘)을 울린 셈이었다.

누군가에게 그 무엇이라도 되었으면

　은퇴를 하면서 집에 머무는 날이 많아졌다. 자연히 나의 시간은 주체할 수 없을 정도로 급작스레 늘어났다. 직장생활을 할 때는 하고 싶은 일이 그렇게 많아도 시간이 없어 못했지만 막상 시간이 많아지자 언제 그랬냐싶게 하고 싶던 일들이 자취를 감추었다. 기껏해야 침대에 반쯤 드러누워 리모컨을 손에 쥔 채 부질없이 TV채널을 이리저리 옮기는 게 소일거리의 대부분을 차지했다. 그러던 어느 날 문득 변화를 시도해봐야겠다는 생각이 들었다. 그건 오늘 하루가 어제 죽어간 누군가가 그토록 원했던 시간이라는 거창한 깨달음에서 비롯된 게 아니었다. 그저 소파와 침대를 6대4의 비율로 오가기만 하던 반복된 생활이 갑갑하게 느껴진 탓이었다.

　그때부터 집 근처에 있는 한 카페를 출입하기 시작했다. 진한 커피 향이 유독 내 입맛에 잘 맞는데다 왜지 모르게 편안함을 제공해주는 카페였다. 피크타임인 점심시간 언저리만 피하면 빈자리가 넉넉해

서너 시간을 죽친들 눈치 볼 필요가 없는 점도 마음에 들었다. 바깥 출입을 한 효과는 꽤 컸다. 그나마 책을 다시 손에 쥐게 되었고 틈틈이 노트북을 펼쳐 넋두리를 풀어놓는 일도 생겼다. 늙다리 카공족이 되었다고나 할까?

반복은 습관을 만들기 마련이다. 하루 이틀 카페를 방문하는 횟수가 늘어나면서 나도 모르는 사이에 나의 출입시간과 앉는 좌석은 일정해졌다. 물론 뜻하지 않게 일이 생겨 조금 늦는 경우도 있고 남에게 선점당해 자리를 바꿔 앉아야하는 사례가 생기긴 했지만 그건 새 발의 피나 마찬가지였다.

그런데 얼마 전부터 건너편 좌석에서도 유사한 일이 벌어지고 있었다. 내가 카페 문을 열고 들어올 때마다 그 자리에는 50대 후반의 한 여인이 자리를 잡고 있었다. 그녀는 매번 거치대 위에 펼쳐놓은 책을 열심히 읽고 있었는데 가끔씩 메모지에 무언가를 열심히 쓰는 모습이 포착되기도 했다. 비록 거치대와 맨바닥, 볼펜과 노트북이라는 다른 수단을 사용하긴 했지만 그건 분명 독서와 낙서라는 측면에서 나와 똑같은 행위였다. 은근히 관심을 가지면서 그녀가 카페를 떠나는 시간이 나보다 30여분쯤 빠르다는 것도 알게 되었다.

그렇게 우린 카페의 주축멤버가 되었다. 덩달아 나에게는 또 하나의 버릇이 생겨났다. 카페에 들어서자마자 가장 먼저 그녀의 존재부터 확인하게 된 것이다. 간혹 모습이 보이지 않으면 괜스레 안절부절못했고 시간이 늦어 뒤늦게라도 나타나면 안도의 한숨을 내쉬기도 했다. 그녀의 부존재는 내 생활에 불안감을 드리웠고 그녀의 존재는 그 자체만으로도 안정감을 제공했다. 그렇다고 그것이 다 늙은 나이에 로맨스그레이를 꿈꾸는 늦바람에서 기인한 건 아니었다. 그저 그녀는 내 일상이 궤도로부터 일탈하지 않도록 해주는 마라톤에서의 페이스메이커 같은 존재에 해당할 따름이었다.

그녀와 내가 카페의 색다른 인테리어로 자리매김할 무렵이었다. 여느 때처럼 카페에 들어서려는데 출입문 유리창에 공지문이 붙어있었다. 주인의 개인사정으로 카페를 폐업하게 되었다는 것이었다. 그야말로 청천벽력과도 같은 소식이었다. 모처럼 이 카페에 출근하다시피 하면서 소외감과 상실감을 극복해가며 생활에 활기를 찾아가고 있었건만. 어느 날 갑자기 일터를 잃는 실직자의 마음이 이럴까? 앞으로 오후시간을 어디서 보내나 하는 고민을 하며 카페에 들어섰다. 카공족의 대열에 들어선 만큼 분위기가 비슷한 다른 카페를 선택하는 것이 제일 무난할 것이다. 자리를 잡자마자 난 노트북을 열어 지도를 펼친 후 내 위치 주변에 있는 적당한 카페들을 물색하기 시작했다. 지도만으로 분위기를 탐색하기란 여간 어려운 일이 아니었다. 그때 앞자리에 앉은 그녀가 시야에 들어왔다. 그녀의 입장이 궁금했다. 그녀는 이 카페의 폐업소식에 어떤 대비를 하고 있을까? 그녀도 나처럼 '카페 찾아 삼만 리' 중일까? 순간 내가 찾아야 하는 것이 카페가 아니라 그녀가 아닐까 하는 생각이 들었다. 왜 그렇지 않은가. 시험기간을 맞은 학생이라면 공부를 하지 않아도 동료이자 경쟁자인 친구들이 공부하는 학교도서관에 함께 있는 것만으로도 어느 정도 마음이 편해지지 않는가 말이다. 이곳 역시 카페여서가 아니라 페이스메이커 역할을 하는 그녀가 있었기에 내가 하루일과를 편안하게 보낼 수 있었으리라.

중요한 건 분명 카페가 아니라 그녀였다. 이처럼 그녀에 대해서 아는 것이라고는 전혀 없지만 그동안 그녀는 나에게 커다란 의미가 되어있었다. 새삼 고마운 마음이 일었다. 아울러 나는 그녀에게 어떤 존재일까 하는 의문이 피어났다. 아주 조그맣다 해도 아무튼 의미로 작용할 수 있었으면. 설령 그녀에게 그럴 기회를 부여받지 못했다 해도 앞으로라도 누군가에게 그 무엇이라도 될 수 있었으면 기도하는 마음으로 지도상에 나타난 인근의 한 카페를 즐겨 찾는 장소로 저장했다.

잊으려 하지 말고 이기려하자

5,60대 남자들의 우울증에 관한 기사를 읽었다. 삶의 의미뿐만 아니라 의욕까지 잃으면서 그것이 병으로 이어진다고 한다. 나 역시 종종 우울감에 사로잡히는 경우가 있다. 아마 그 나이대가 되면 보편적으로 겪게 되는 증상인 모양이다. 그러기에 그건 질환이라기보다는 일종의 성장통이라 말할 수 있다. 물론 노년기에 접어든 사람들에게 그 단어를 적용하는 것이 과연 올바른 것인가 하는 문제는 남지만.

그들은 대부분 준비되지 않은 상태에서 은퇴라는 새로운 환경에 노출된 사람들이다. 우울증은 두말할 것도 없이 이런 환경의 변화에서 출발한다. 누구나 조직이나 공동체 생활에 젖어 있다가 관계라는 틀에서부터 고립되면 낯설음에 직면하게 되고 동시에 외로움에 휩싸인다. 외로움은 금방 불안감으로 발전한다. 그건 사회적 동물인 인간에게 피할 수 없는 운명이다. 누군가에게 기대지 않으면 불안해지는 것이 태생적 특징이기 때문이다.

반면 인체는 자정작용이라는 신비한 기능도 보유하고 있다. 어딘가 불안정한 상태가 되면 자동적으로 그 기능이 활성화되어 안정시키려는 경향을 보인다. 비슷한 취미를 가진 사람끼리 동호회나 친목회 등을 만드는 건 이런 작용의 일환이다. 어딘가에 얽매이거나 누군가와 어울림으로써 불안감을 내쫓으려 하는 것이다. 성격상 또는 여건상 그게 불가능한 사람들에게는 나름 다른 대안이 마련된다. 등산이나 독서, 영화감상 같은 활동들이 대표적이다. 그러나 이것들 역시 혼자서도 할 수 있다는 점만 다를 뿐 불안감으로부터의 탈피라는 목적에서는 동일하다. 의도했든 아니든 간에. 나 역시 크게 다르지 않다. 매일같이 열심히 달리기를 하고 도서관을 생쥐 풀방구리 드나들듯 하는 것도 따지고 보면 도긴개긴이다.

그들은 이런 활동을 통해 육체적인 고통을 가하거나 어딘가에 몰두함으로써 두뇌가 정신적인 고통에 다가가지 못하도록 만들려고 노력한다. 심지어는 견디기 힘든 현재의 상황을 아예 두뇌의 저장장치로부터 삭제시키려 애를 쓴다. 하지만 곰곰이 생각해보면 이것만큼 어리석은 행위가 없다. 잊는다는 것이야말로 죽음과 가장 가까운 단어다. 죽음의 의미가 무엇인가. 우리가 갖고 있는 모든 기억이 소실되는 순간이 아닌가. 삶이란 기억하는 것이다. 기억이 없다면 삶은 아무런 의미를 갖지 못한다. 그럼에도 당장의 고통이 힘들어 그걸 잊으려고만 한다면 죽기를 원한다는 말과 무엇이 다른가.

최근 들어 연명치료를 거부하는 환자들이 늘고 있다. 그들은 산소호흡기에 의존한 채 숨만 쉬는 삶이 아무 의미가 없다고 생각한다.

당연히 나도 여기에 동의한다. 나을 가능성이 있다면 모를까 기억을 포함한 모든 활동이 정지된 채 호흡만 유지하고 있다는 건 삶이 아니기 때문이다. 치매도 크게 다르지 않다. 모든 기억이 정지된 상태에서의 삶은 죽음보다 못하다. 개똥밭에 굴러도 이승이 낫다는 말이 있긴 하지만 그것도 자기가 발을 디디고 선 곳이 개똥밭이라는 걸 인식하고 있을 때의 일이다. 그게 아니면 오히려 남은 가족들에게 고통만 안겨줄 따름이다.

일부 순간을 잊으려는 행위를 두고 죽음이나 연명치료, 치매까지 연결시키는 건 너무 심한 비약일지 모른다. 그러나 5,60대라면 노화에 따른 망각이 한참 진행되는 시기다. 대부분의 사람들은 그걸 안타깝게 여기며 단 며칠이라도 그 시기를 늦추려든다. 그러면서 무엇이 되었든, 그 양이 어떠하든, 잊기를 바란다는 행위는 그 자체만으로도 모순이요 제 발등을 찍는 행위가 아닐 수 없다. 아무리 하찮은 기억도 소중히 붙잡아야 할 마당에 잊히지 않은 사실들조차 굳이 나서서 잊으려 할 건 무언가.

또 한 가지, 분명히 말하지만 나이 들면서 행하는 여러 취미활동이나 운동 등을 내가 부정적인 시각으로 바라보는 것 역시 아니다. 일선에서 물러난 상태에서 심신을 단련시키는데 그만큼 바람직한 것은 없다. 따라서 우울증을 이겨내는 좋은 처방이 될 수도 있다. 다만 억지로 현 상황을 잊기 위한 수단으로 그걸 활용하지는 말자는 뜻이다. 하기 싫은 일을 억지스레 하게 되면 오래 가지 못하고 곧 포기하게 된다. 무슨 일이든 긍정적인 마인드를 가질 때 그 효과는 극대화되는 법이다.

우리가 맞닥뜨리는 희로애락의 순간들은 모두가 삶의 한 과정이요 일부분이다. 하나같이 소중한 것이다. 그런 만큼 즐겁고 기쁜 순간은 그것대로 즐기고, 힘들고 괴로운 순간은 또 그것대로 당당하게 맞서면 된다. 슬픔이 없으면 기쁨도 없으며 아픔이 있기에 쾌락을 느낄 수 있다는 사실을 잊지말아야한다. 잊으려 할 게 아니라 이기려해야한다. 우울증세가 심화될수록 더욱 그러하다. 그것이 최선의 치료요 근본적인 치료법이다.

집착으로부터의 탈피

 노안이 찾아왔다. 나이 육십을 넘긴 것이 벌써 몇 해 전이니 하나도 이상할 것은 없다. 핸드폰을 이용하고 책을 읽는 일이 많이 불편해 졌다. 불편함은 생활습관의 변화를 강요했다. 어릴 적부터 심한 근 시를 앓아왔기에 안경을 쓰는 것에만 익숙해있던 내 눈은 이제 그럴 때마다 안경을 벗게 만들었다. 단순히 안경을 벗어 해결될 일이면 크게 걱정할 일이 없겠지만 그게 아니니 문제였다.

 노안은 근시를 원시로 바꾼 것이 아니라 근시와 원시, 두 가지를 공 생관계로 변화시켰다. 그 결과 안경을 착용하지 않으면 근시가 작 동했고 안경을 쓰면 원시가 작동했다. 가까운 것을 보기 위해 안경 을 벗으면 보란 듯이 근시란 놈이 나타나 사물과 눈 사이의 거리를 사정없이 좁히도록 요구했다. 그걸 해결하기 위해서는 저도수 안경 이라는 또 다른 안경이 필요했다. 어쩔 수 없이 안경점에 가서 저도 수안경을 새로 맞추었다. 안경도 두 가지를 써야하는 나이가 된 셈이다.

 노트북 작업을 하기 위해 저도수안경을 꺼내 썼다. 느껴질 정도로 확연하게 차이가 났다. 글씨들이 훨씬 또렷해졌고 그러면서 모든 작업의 효율이 눈에 띄게 향상되었다. 별천지가 열린 것 같았지만 이내 다른 걱정이 스멀스멀 찾아왔다. 편리함을 좇아 이런 환경에 익숙해진다면 머잖아 더한 노안이 찾아오는 것이 아닐까? 인체란 자신이 처한 환경에 잘 적응하는 존재이니까. 처음 근시안경을 쓸 때도 그런 경험을 한 적이 있으니 충분히 설득력이 있는 추론이었다.

 중학교에 입학한지 얼마 되지 않았을 때 난 심한 눈병을 앓았다. 당시 한창 유행했던 아폴로눈병이었다. 의료시설 면에서는 여러 가지로 열악했던 시절이라 다른 사람들처럼 나 역시 적당히 약국에서 사온 안약에만 의존해 치료했다. 주먹구구식 치료는 완치 후 시력을 급격히 떨어뜨렸다. 작은 글씨체를 구사하는 선생님의 수업시간이면 칠판글씨를 노트에 옮기는 게 힘들었다. 그때마다 옆 짝꿍의 노트가 중계역할을 했다. 결국 난 가난한 살림에 안경이라는 문명의 짐을 더 얹을 수밖에 없었다.

 안경이 습관화된 어느 날이었다. 친구들과 장난을 치다 안경알을 깨뜨렸다. 덕분에 그날은 안경을 벗은 상태로 수업을 받아야했다. 그때 난 망치로 머리통을 얻어맞는 것 같은 심한 충격을 받았다. 칠판글씨가 숫제 하나도 보이지 않는 것이었다. 불과 두어 달 전만 해도 반 이상은 나안 상태로 옮겨 쓰고 했건만. 뿐만이 아니었다. 이후 안경점에서 주기적으로 검사를 할 때마다 나의 시력은 점점 나빠졌고 안경알의 두께는 두꺼워져만 갔다. 아울러 더 이상은 안경을 벗은 상태에서 생활 자체가 불가능해졌다. 라마르크의 용불용설을 철저하게 신봉하게 된 건 그때부터였다.

어린 시절의 기억을 떠올리면서 저도수안경을 사용해서는 안 되겠다는 생각이 문득 들었다. 안경을 사용하는 빈도가 높으면 높을수록 내 시력은 거기에 의존도를 더욱 높일 것이고 더는 회복이 불가능할 것만 같았다. 그때부터 내 소지품 목록에서 저도수안경은 사라졌다. 대신 휴대폰 화면을 볼 때면 몇 번이고 끼고 있는 근시안경을 코끝에 걸치다시피 고쳐 써야 했고 책을 읽을 때면 허락하는 한 최대로 팔을 뻗어 초점거리를 맞추어야했다. 종종 나안으로 사물을 대하기 위해 안경 너머로 눈을 흘기다시피 치뜨는 습관마저 생겨났다. 불편함은 더욱 커져갔지만 고스란히 그걸 감내하면서 난 은근히 위안을 얻고 있었다. 아직까지는 쓸 만한 시력을 갖추었노라고.

그런 나의 행동이 어리석음의 소치에서 비롯되었음을 알기까지는 그리 오래 걸리지 않았다. 화면을 여러 개로 분할해 노트북 작업을 하던 날이었다. 화면분할은 작업공간의 면적을 줄였고 자연히 내 시력으로는 대처가 불가능했다. 안경을 벗고 얼굴을 모니터에 최대한 가까이 바싹 붙이거나 아니면 저도수안경을 쓰는 도리밖에 방법이 없었다. 내 능력의 한계를 절감하는 바로 그 순간 난 여태 억지를 부리고 있었다는 사실을 깨달았다.

노안은 나이를 먹으면서 당연히 찾아오는 현상이다. 떼를 쓴다고 찾아오지 않거나 늦어지는 것도 아니다. 그저 달갑지 않다는 이유로 내가 그걸 인정하지 않았을 따름이다. 가질 수 없는 것을 가지려는 마음은 집착에 불과하다. 그건 나아지려는 의지가 아니라 욕심일 뿐이다. 그 욕심에 사로잡힌 나머지 난 그동안 저도수안경으로 충분히 누릴 수 있는 편리함마저 내팽개치는 실수를 저지르고 만 것이다. 탐탁지 않더라도 내 힘으로 어쩔 수 없는 한 그냥 받아들이면 그만이건만. 그것이 인생이건만. 스스로에게 너무 추악한 모습을 내보인 것 같아 부끄럽기 짝이 없었다.

　노안이 오지 않았다면서 아집을 부려보았자 바뀌는 건 아무 것도 없다. 버틴다고 해서 시력이 회복되는 것도 아니다. 그럴 바엔 어떻게 하면 노안을 슬기롭게 극복할 수 있을 것인가에 관심을 갖는 편이 백배 낫다. 저도수안경이나 돋보기안경을 거부할 것이 아니라 시력에 도움이 되는 영양분을 섭취하거나 서둘러 안과상담을 받는 것이 훨씬 바람직하다. 아무리 안타까워도 흐르는 세월을 막을 수 있는 인간은 없다. 그러기에 세월을 거스르려할 것이 아니라 어떻게 세월을 보낼 것인가를 고민해야하는 것이다.

달리기, 인생의 축소판

 단조로운 일상이 되풀이되고 있다. 은퇴를 하면서 그 깊이는 더욱 심화되었다. 아침 달리기, 오전의 독서, 오후엔 동네 카페에 앉아 노트북과 씨름, 그러다 어스름 저녁이면 집으로 돌아와 아내와 TV 채널 싸움. 반복되는 생활은 지루함을 가져다주고 사람을 무기력하게 만든다. 가끔씩 변화를 꾀하기도 한다. 쓸데없이 방의 레이아웃을 바꿔보기도 하고 무턱대고 근교의 산을 오르는가 하면 아내의 꽁무니를 쫓아 전통시장을 누비기도 한다. 그래봤자 새로운 느낌은 잠시뿐 근본적으로 크게 달라지는 건 없다. 어쩌면 인생이라는 것 자체가 이런 지루함을 이겨내는 과정인지도 모른다.
 숱한 변화의 시도 가운데서 유독 바꾸려하지 않는 일이 있다. 매일같이 일정한 거리를 달리는 일이다. 이십 년 동안 그건 내 생활에서 바뀐 적이 없다. 다른 운동으로 대체하려 생각해본 적도 없고 무단히 거른 적도 없다. 물론 몸을 놀리기 어려울 정도로 아프거나 불가

피한 사정이 생겨 빠뜨린 경우가 있지만 그건 말 그대로 내 의지로 어쩔 수 없는 상황에서만 발생한 것이다. 아마도 모든 면에서 남들보다 부족한 내가 건강에서마저 뒤쳐진다면 경쟁에서 살아남지 못할 거라는 위기의식의 발로에서 생겨난 일일 것이다.

그래서인지 나에게는 가끔씩 인생을 달리기에 견주어보는 습관이 생겼다. 특히 달리는 고통을 잊기 위해 의도적으로 무언가를 생각하려 할 때 그 버릇은 곧잘 발동된다. 그럴 때마다 달리는 거리는 인생의 길이로 대체되곤 한다. 하루에 내가 달리는 거리는 평균 10킬로미터 정도다. 그 중에서 6킬로미터를 넘어서는 순간은 유달리 내가 몸 상태에 집중하는 구간이다. 내 나이가 육십을 넘었으니 10킬로미터를 인생백세로 환산한다면 전체 인생 가운데 현재 내가 처한 지점이 그 부분이 아닐까 여기는 탓이다.

장거리를 달리다보면 견디기 벅찰 정도로 힘든 시기가 있는데 이 지점을 지나면 호흡이 안정되면서 몸이 가벼워지고 머리가 맑아지는 일종의 쾌락이 찾아온다고 한다. 마라토너들에게 잘 알려져 있는 러너스하이가 바로 그 구간이다. 나의 경우 쾌락이라기보다 그저 약간 편안한 듯한 느낌일 따름이지만 어쨌든 그건 앞서 말한 6킬로미터를 좀 지난 지점에서 자주 찾아온다. 그렇다면 달리기코스와 내 인생 구간을 비교하는 작업은 더더욱 정당성을 확보하게 되는 셈이다. 지금 나의 위치야말로 살아온 날들 가운데 러너스하이라 일컬은들 조금도 이상할 게 없기 때문이다. 여태 열심히 살아온 덕분에 특별히 스트레스 받는 일 없이 여행과 같은 평소 하고 싶었던 일들을 즐기며 나름 여유 있는 생활을 영위하고 있으니 말이다.

문제는 이후의 구간이다. 7,8킬로미터를 지나면서는 조바심이 일기 시작한다. 힘든 순간으로부터 어서 빨리 벗어나 편한 상태로 휴식을 취하고 싶은 마음뿐이다. 그때면 내 나이 칠팔십으로 접어들 때도 삶 자체가 힘들어 모든 것으로부터 자유로워지고 싶을까 의문이 생기곤 한다. 무언가를 행하는 것이 고통이어서 거기서 탈출하고 싶다면 그건 죽음을 의미할 텐데 과연 그곳으로 달려가고 싶어질까? 당연히 그러지는 않을 것이다. 왜냐하면 달리기가 끝이 난 후에는 나의 다른 생활이 이어질 거라는 믿음이 자리하고 있지만 죽음 이후에는 그 어떤 믿음도 나에게는 존재하지 않기 때문이다.

　죽음에 대해 지금보다 한결 익숙해지리라는 생각이 들기는 한다. 두려움 또한 상당부분 줄어들지도 모른다. 그래서 죽음이라는 정체에 대한 궁금증이 찾아올 때마다 직접 맞닥뜨리지 못하고 서둘러 고개를 흔들며 피하기 급급한 내가 그때는 좀 의연해질 수 있으리라는 기대가 생기는 것도 사실이다. 하지만 그건 확실한 게 아니라 막연한 추측에 불과하다. 아니 오히려 지금의 나에게 죽음은 그만큼 두려운 대상이라는 걸 보여주는 뚜렷한 증거가 아닐 수 없다.

　7킬로미터를 넘어서면서 달리는 것 자체를 즐겨보자는 생각을 가져보았다. 주변에서 스쳐지나가는 풍경들을 살펴보며 계절을 느끼기도 하고, 행인들을 쳐다보며 그들과 나의 공통점과 차이점에 관해 생각해보고, 나의 건강과 체력지수가 이 달리기를 통해 지속적으로 향상되고 있음을 체감하다보면 좀 달라지지 않을까? 아무리 마음을 다잡으려 해도 그건 쉽지가 않다. 가쁜 호흡과 신체적 고통은 오로지 목적지에 도착하는 그 순간만을 학수고대하게 만들 뿐이다. 그럼에도 멈추지 않고 달릴 수 있는 건 오직 완주 이후에 찾아올 심신의 평화에 대한 확실한 믿음 덕분이다.

시간은 나의 의사와 상관없이 흐르기 마련이다. 미래를 향해 나아가는 삶은 제일 끄트머리에 있는 죽음에 도달할 때까지 절대 멈추지 않을 것이다. 돌이킬 수도 없다. 그렇다면 또 한 번 인생을 달리기에 빗대어볼 필요가 있다. 아무리 힘들어도 '다음'이 기다린다는 믿음이 나를 목적지까지 포기하지 않게 달릴 수 있게 해주는 것처럼, 사후의 세계에 대한 믿음을 공고히 한다면 내 삶의 자세는 바뀌지 않을까? 굳이 종교적 믿음이 아니어도 좋다. 끝은 또 다른 시작이라는 지극히 진부한 말을 진지하게 받아들이는 것만으로도 죽음의 공포는 쉬 극복되고 난 보다 밝은 표정으로 당면한 현재를 열심히 살아갈 수 있을 것이다.

조화로운 부부생활

아내가 육백만 원을 주었다.

며칠 전부터 아내는 내게 이번에 만기가 돌아오는 예금을 나에게 주겠노라 선심공약을 펼쳤다. 무언가 특별한 내막이 있어보이진 않았다. 그건 삼십년 이상을 함께 살아온 사람으로서 쉬 내릴 수 있는 판단이었다. 아내는 그리 영악한 사람도 아니었을 뿐 아니라 품은 의중이 투명하리만치 얼굴에 그대로 드러나는 사람이었다. 금액이 그다지 크지 않은 육백만 원이라는 점도 나의 추측에 힘을 실어주었다.

군이 까닭을 추적하자면 뭐 힘든 일도 아니었다. 최근 들어 유럽여행을 두 차례나 다녀왔는데 그때마다 여행경비가 나의 비자금통장에서 고스란히 지출되었던 것이다. 또 은퇴를 하면서부터 난 1년 단위로 용돈을 지급받아왔는데 올해 분은 아직 받지도 않은 상태였다. 사람을 만나는 횟수가 줄면서 돈이 크게 아쉽지도 않았고 나의 재정 상태가 아직은 상당한 흑자를 기록하다보니 그걸 달라는 말조차 꺼내지 않고 있었다. 그게 전부가 아니었다. 같이 외출할 때면 밥값이나 커피 값을 지불하는 것도 주로 내 쪽이었다. 그럴 때면 아내는 으레 '무슨 돈이 있다며……' 라는 말로 애처로움을 표시하기도 했다. 주식시장이 시퍼렇게 얼어붙은 날 '이런 날 주식을 사야하는데' 넋두리에는 돈을 조금 줄 테니 재미삼아 주식을 해보라 은근히 권하기까지 했다. 많은 돈을 투자하지는 말라는 꼬리표가 반드시 따라붙긴 했지만. 그 모든 정황을 고려할 때 아내의 의도는 분명 순수했다.

세상에 돈 싫다는 사람이 어디 있을까? 난 아내의 선심을 기꺼이 받아들이기로 결정했다. 오늘 은행으로 가는 아내를 따라나선 것도 그 이유에서였다. 물론 군이 동행하지 않아도 계좌번호만 알려주면 입출금이며 이체가 간단하게 해결되는 세상이긴 했다. 그러나 아내는 나의 동행을 내심 바라고 있었다. 돈을 육백만 원이나 거저 준다는데 커피도 한잔 안 살 거야? 농반진반의 질문이 그걸 대변하고 있었다. 돈을 받는 사람으로서 예의치레를 하지 않을 수 없었다.

돈의 용처는 아직 확정하지 않은 상태였다. 정말 이번 기회에 수업료를 내는 셈 치고 주식공부를 해볼까? 노트북이며 휴대폰도 완전 구닥다리인데 눈 딱 감고 그걸 구입해? 유튜브 영상을 좀 더 그럴싸하게 만들 수 있는 짐벌이며 소형카메라를 사는 건 어떨까? 많은 생각들이 오갔다. 하지만 소심한 성격은 과감한 결정을 내리는데 방해요소로 작용했다.

주식투자는 하루하루의 주가등락에 가슴 졸일 일이 걱정스러웠다. 노트북이며 휴대폰은 오래되긴 했지만 크게 불편한 점이 없어 산다면 괜한 낭비라는 느낌이 없지 않았다. 또 영상장비의 경우는 아직 시기상조였다. 장비에 관한 지식이 없어 어떤 것이 좋고 나에게 적합한지 알지 못했고 그걸 제대로 다룰만한 실력도 부족했다. 그런 상황에서 장비를 구입하는 건 무모한 행위였다.

은행으로 가는 동안 돈을 쓸 궁리는 계속 이어졌다. 심지어 당장 쓸 곳을 생각하지 못하면 마치 그 돈이 사라지기라도 하는 것처럼 쫓기기까지 했다. 생각지도 않은 돈이 생기면서 따라온 부작용이었다. 문득 로또복권에 당첨된 사람들의 근황을 알려주던 신문기사가 떠올랐다. 당첨이 되는 순간 행복의 무지개를 잡았다고 생각했지만 결말은 하나같이 불행의 구렁텅이에 빠져들고 말았다는 소식이었다. 무분별한 투자를 하고, 지인들의 꾐에 빠지고, 방탕한 생활을 일삼은 탓이었다. 돈이 움직임을 멈추는 순간 손해를 본다는 생각에 무엇이든 빨리 시작하려는 조급함과 강박관념에 사로잡힌 것이 그런 결과를 낳은 것이 틀림없었다. 마음이 급하면 판단이 흐려져 실수를 불러오는 법이고, 실수는 횟수가 거듭될수록 실패로 이어지기 마련이다. 생각이 거기에 미치자 어쩌면 나 역시 그들과 같은 전철을 밟을지 모른다는 위기감이 생겨났다. 비록 큰돈이 아니어서 그것으로 인생이 좌지우지된다거나 나락으로 빠지는 일이야 없겠지만, 돈을 잘못 사용함으로써 후회를 하고 마음의 상처를 입는 일이야 충분히 생기고도 남지 않겠는가.

은행창구를 벗어나 아내가 나에게 다가왔다. 여보, 송금했으니 통장 확인해봐. 핸드폰을 꺼내 은행앱을 열었다. 통장에는 오늘 날짜로 육백만원이라는 숫자가 입금이라는 글자와 함께 찍혀있었다. 눈먼 돈이 생긴 기분이 어때? 그냥 입 싹 닦을 건 아니지? 아내의 쾌활

한 목소리가 들려왔다. 당연하지 그럼. 자, 육백만원짜리 점심을 살 테니 그냥 따라오기나 해. 은행을 벗어나며 난 열려있는 은행앱으로 이체를 시도했다. 받는 사람 난에는 핸드폰 속에 저장되어있던 아내의 계좌번호가 떠있었다.

아내의 눈길과 나의 눈길

　여보, 오후에 소일삼아 카페나 다녀오지 않을래? 지루한 일상을 타파하기 위해 아내에게 구원의 손길을 뻗었다. 마주앉아봐야 둘이 정겨운 모습을 보이며 알콩달콩 이야기하는 사람들도 아니었기에 함께 카페를 간다는 것이 큰 의미는 없었다. 찻잔을 앞에 놓는 순간 아내는 아내대로 인터넷 서핑이며 독서를 즐길 게 뻔했고 나는 나대로 또 글을 쓰거나 며칠 앞으로 다가온 우리들의 여행계획을 짤 것이 뻔했다. 동행을 권유한 건 어딘가 외출할 때마다 오가는 길의 벗으로 삼아온 오랜 습관 탓이었다.

　오늘은 바빠. 그동안 당신하고 싸돌아다니느라 밀린 집안일들이 많기도 하고 내일 아이들이 집에 온다는데 밥이라도 한 끼 해먹이려면 장도 좀 봐야 해서. 그랬다. 내일은 일요일인데다 내 생일이라 두 시간 거리에 살고 있는 아들내외가 집으로 올 예정이었다. 아내의 거절이 못내 서운했지만 집안일이라고는 손도 까딱 안하면서 오히려 아내의 일손을 방해할 수는 없었다. 그럼에도 난 구태여 서운한 감정을 입 밖으로 뱉어내고 말았다. 알았어. 아들만 중요하다 이거지? 사실 그건 아내를 향한 불만이 아니라 거절을 당한 무안함을 지워보려는 일종의 방어기제에 가까운 것이었다.

그러고는 아침운동을 하고 막 들어온 몸이라 욕실로 향했다. 비누칠이 거의 끝나갈 무렵이었다. 바깥에서 아내의 부르는 소리가 들렸다. 무슨 일인가 싶어 샤워기의 꼭지를 틀어 잠그며 대답했다. 아침은 식탁 위에 차려놓았으니 나오면 먹어. 난 잠깐 자전거 타고 마트에 다녀올게. 알았다는 대답으로 우리의 대화는 끝났지만 오후에 장을 보러간다 하고서는 아침부터 설쳐대는 품이 이상했다. 하지만 그것도 곧 사라졌다. 함께 장을 볼 때마다 녹음기처럼 늘 반복하던 말이 떠오른 탓이었다. 연어는 여기서 사면 안 돼. A마트에 가면 삼천 원이나 더 싸. A마트에 가면 그 말은 또 바뀌었다. 돼지고기는 B마트가 최저가야. 마트마다 특가상품 품목이며 가격표를 줄줄이 외는 아내였으니 최저가를 향해 마트순례를 계획하고 있는 모양이었다. 하루 동안 돌아야 할 마트가 많으니 오전 오후로 나누어 방문계획을 짠 것이겠지.

점심을 먹고 난 후였다. 거실에서 아내의 목소리가 들려왔다. 여보, 지금 안 나갈 거야? 난 준비 끝났어. 아내의 의도를 짐작할 수 없어 거실로 나갔다. 채 거실에 도달하기 전에 아내는 외출 때마다 들던 가방을 어깨에 멘 채 현관에서 신발을 신고 있었다. 아니 오늘 바쁘다 했잖아. 그래서 오늘 하루는 방콕하려 마음먹고 있었는데? 여전히 의구심을 버리지 못해 눈을 동그랗게 뜬 나를 보며 아내가 환하게 웃었다. 무슨 소리야. 아까 마트 다녀온다 했잖아. 당신하고 카페 가려고 아침부터 자전거 페달을 엄청난 속도로 밟으며 갔다 왔구먼. 아내는 아침에 나의 제안을 거절하면서도 내 표정을 일일이 살피고 있었던 게 틀림없었다. 내가 그다지 크게 낙담하거나 실망하지 않았기에 의도적으로 내색하지는 않았다 하더라도 아마 스쳐 지나는 느낌으로나마 언짢은 표정을 지었던 모양이다. 잠시 무안함에 사로잡혔던 것은 사실이니 미세하나마 표정에 변화가 있었던 것이겠지. 중요한 건 아내가 그런 것까지 캐치해낼 정도로 나를 주의 깊게 살폈다는 점이다. 그건 말을 뱉는 순간 혹시라도 상대의 마음을 아프게 하지 않을까 걱정한 증거나 다름없었다. 바쁘다면서도 저렇게 외출 준비를 하고나선 걸 보면 그 보상심리가 작동한 것이리라.

난 하던 일을 멈추고 후다닥 가방을 챙겨 나섰다. 나 또한 무언가로 아내에게 보상을 해야만 할 것 같았다. 언뜻 떠오른 것이 커피였다. 좋아. 오늘 커피는 내가 쏜다. 말이 채 끝나기 전에 아내가 또 한 번 웃었다. 오후에 커피 마시면 잠 못 잔다고 몇 번이나 말했잖아. 난 커피 말고 고구마라떼 먹을 거야. 그때서야 나는 나를 바라보는 아내의 눈길과 아내를 바라보는 내 눈길 사이에 엄청난 차이가 존재한다는 걸 깨달았다. 그렇게 미안할 수가 없었다. 반면 아내는 지금 내가 이렇게 미안해한다는 걸 눈치 채고 또 다른 자신만의 보상심리를 발동시키는지도 모른다.

아내는 내 주치의

나 조금 있다가 치과 가야해. 아내는 그렇게 자신의 치과예약사실을 내게 알려왔다. 그 말에는 동행여부를 알려달라는 요구가 포함되어있었다. 외출할 때마다 바늘 가는데 실 가듯 따라다니지 못해 안달하는 나였으니 아마도 자신의 외출동선을 계획하는데 그것이 중요한 고려요소였으리라. 난 바쁜 움직임을 보이는 것으로 대답을 대신했다. 욕실로 들어가 샤워를 하고, 옷을 갈아입고, 백팩을 챙기고. 버스를 탔다. 그때서야 아내가 간다는 병원이 안과가 아니라 치과였다는 사실이 기억났다. 분명 아내가 얼마 전까지 다닌 병원은 안과였다. 햇볕에 길을 나서면 눈이 시려 잘 뜰 수가 없다며 병원을 찾았으니 틀림없었다. 그런데 왜 치과를 간다고 했을까? 내가 말을 잘못 들었던 것일까? 옆자리의 아내에게 물어보았다. 당시 오늘 간다던 병원이 안과야, 치과야? 아내는 다시 한 번 명확하게 치과라고 말했고 그 이유까지 세밀하게 설명해주었다. 눈의 상태는 병원에 다녀온 이후로 많이 좋아져 이제는 불편을 거의 느끼지 않을 정도가 되었으며, 오늘은 며칠 전부터 잇몸이 부어올라 그 문제를 치료하기 위함이라고.

새삼 세월이 많이 흘렀음을 자각하는 계기가 되었다. 평생 병원이라고는 모르고 지내던 아내가 사흘들이로 이렇게 병원을 찾게 될 줄이야. 더더군다나 아내는 죽을병에 걸려도 차라리 모른 상태로 죽는 것이 낫다고 말할 정도로 나만큼이나 병원가기를 싫어하던 사람이었다. 그런 사람이 병원을 마치 출근하는 직장마냥 아무렇지도 않게 다니고 있으니 이것이야말로 상전벽해가 아니고 무엇일까?

아내는 거기서 그치지 않았다. 참 당신도 어금니 하나 없다고 했잖아. 오늘 간 김에 검사받고 임플란트하는 게 어때? 아내의 그 말은 내가 안고 있는 치아의 문제점을 떠올리게 만들었다. 요 며칠 전부터 난 음식을 씹을 때마다 왠지 한쪽 편의 어금니가 흔들리는 듯한 느낌을 받고 있었다. 그러다보니 자연적으로 반대편 치아를 많이 사용해야했다. 문제는 그쪽이 바로 아내가 지적한 어금니 하나가 부족하다는 점이었다. 결국 이쪽도 저쪽도 씹는 행위는 부실할 수밖에 없었다. 생존에 있어 영양분 섭취만큼 중요한 일이 없거늘 은근히 그건 나의 한 가지 걱정으로 자리 잡고 있었다.

아는지 모르는지 아내는 한 술 더 떴다. 눈도 검사받아봐야 해. 우리 나이에 백내장 녹내장 그런 병으로 수술하는 사람들 많잖아, 왜? 틀린 말이 아니었다. 나 역시 아침에 일어나면 흐릿해진 눈을 몇 번이나 비벼대고 눈곱을 떼어내고 해야 정상적으로 보이기 시작했다. 어디 그뿐인가. 하루가 다르게 노안이 심해져 휴대폰의 글씨 크기가 커져가고 책을 읽거나 노트북을 이용할 때면 따로 저도수 안경을 써야 할 정도에 이르지 않았던가. 저절로 우울해져갔다.

그럼에도 난 대답을 생략하는 것으로 거부의 뜻을 전달했다. 그 정도의 증상들이야 나이가 들면서 겪는 아주 당연한 현상으로 애써 치부했다. 아내가 권한 것들이 현재의 내 몸 상태를 감안했을 때 과다 의료행위에 해당하는 것이라 여겼다. 일단 의사의 진료를 받는 순간 살아가는데 하등 문제없는 것들도 침소봉대되기 마련이라며 스스로 거부의 명분을 만들어 합리화했다.

예약을 해둔 탓에 병원에 도착하자마자 아내는 진료실로 향했다. 난 기다리는 무료함을 달래기 위해 대기실에 마련된 책장에서 책을 한 권 꺼내들었다. 서너 페이지나 읽었을까? 주머니에 든 휴대폰에서 진동이 느껴졌다. 낯선 번호였다. 밖으로 나와 전화를 받았다. 공교롭게도 전화는 한 병원의 건강관리센터에서 온 것이었다. 올해가 정기검진을 받을 해인데 만약 예약을 원하시면 도와드리려고요. 상담원의 말을 듣는 순간 검진을 받은 지 벌써 2년이 지났음을 깨달았다. 아울러 검진을 위해 전날 힘들게 금식하던 기억이 머리를 스쳐 지났고 위내시경을 하면서 끊임없이 올라오던 구역질을 참던 기억이 생생하게 떠올랐다. 피하고만 싶던 순간들이었다. 검진일을 최대한 미뤄야겠다는 생각이 불쑥 솟구쳤다.

막 입을 떼려는데 다음 달에 예정되어있는 아내와의 여행이 떠올랐다. 연기를 한다면 그 날짜보다 더 이후여야 했다. 그건 여행하는 도중에도 검진이라는 불편한 단어를 계속 머릿속에 넣은 채로 다녀야 한다는 말에 다름 아니었다. 여행 전도 마찬가지였다. 일단 검진일이 예약되기만 하면 그 날짜가 도래할 때까지 끊임없이 검진 스트레스에 시달릴 게 뻔했다. 스트레스를 최소화하는 방법은 역설적으로 검진일을 최대한 당기는 것이었다.

하루일과 중에 가장 힘든 달리기를 내가 아침에 하는 것도 그와 비슷했다. 아침에 하지 않으면 하루 종일 그걸 해야 한다는 부담에서 벗어나지 못하기 때문이었다. 하루 중 나의 행복지수가 가장 높은 시점이 달리기를 막 끝낸 시점인 것도 다음 날의 힘든 시점까지 남은 시간이 최대가 되기 때문이었다.

발병사실을 알게 되는 것이 두렵긴 하지만 대신 빨리 아는 만큼 치유확률이 높아지는 것 또한 사실이었다. 그렇다면 그 길이 외려 병으로 인한 스트레스를 줄이는 길이었다. 아내가 요즘 병원을 마치 제집처럼 드나드는 것도 어쩌면 그걸 깨달았기 때문이 아닐까?

순간 생각을 고쳐먹었다. 난 상담사에게 검진 받을 수 있는 가장 빠른 날이 언제인지를 물었다. 그리고 간단히 그 날짜로 예약을 마쳤다. 진료실에서 아내가 나왔다. 아내의 옷차림이 의사가운으로 바뀌어 있었다. 아내를 따라나선 바람에 내 병원기피증은 서서히 치유의 기미를 보이고 있었다.

완벽한 결혼생활이 되기 위해서는 두 번씩 결혼해야한다.

친구의 아들이 결혼한다는 모바일청첩장이 전달되어 왔다. 내 나이가 어느새 이순(耳順)을 넘었으니 자식들의 혼사가 뭐 그다지 특별한 화젯거리는 아니다. 그럼에도 오늘따라 그 결혼이라는 단어는 좀 다른 느낌으로 다가왔다. 그건 청첩장을 받는 순간 떠오른 그와의 아주 오래 전 추억 때문이었다.

대학을 다닐 때였으니 40년은 족히 지난 일이다. 엠티를 가 팀별로 주제토론이 벌어졌다. 그날의 주제는 이상적인 결혼이었다. 그와 나는 같은 팀이었는데 우리가 도출한 방안은 사회통념을 완전히 허물어버리는 아주 파격적인 것이었다. 당연히 현실성과도 거리가 멀었다. 그걸 그대로 옮기자면 이렇다. 완벽한 결혼생활이 되기 위해서 모든 사람은 전 생애에 걸쳐 두 차례 결혼해야한다. 첫 번째는 남자가 20대에 도달했을 때 50대의 여자를 배우자로 받아들이는 것이다. 50대 여자는 경제적으로는 안정되어있지만 육체적 사랑에 만족을 느끼지 못한다. 반면 20대 남자는 육체적으로는 건강하지만 경제적으로는 아직 자립할 수 있는 단계가 아니다. 이런 두 사람은 서로의 단점을 장점으로 상쇄시킬 수 있는 최상의 결합조건이다. 그 후 세월이 지나 남자가 50대가 되면 다시 20대의 여자와 결혼한다. 그때는 반대로 20대 여자는 자신이 갖지 못한 경제적 안정을 누릴 수 있을 것이고 50대 남자는 육체적 사랑을 통한 만족감을 얻을 수 있다. 사실 지금 생각해도 이 방법은 윤리나 도덕적 관념에서 벗어나 이론적으로만 생각한다면 꽤나 합리적이어서 세간의 관심을 끌기에 충분한 결혼관이긴 하다.

물론 문제가 없는 건 아니다. 우선 사회적 관습은 차치하더라도 인간의 수명이란 게 모든 사람에게 동일한 게 아니어서 거기서 빚어지는 문제만 해도 적지 않다. 무엇보다 여든이 넘어서까지 장수하는 사람들의 경우가 문제다. 그 이론에 따르면 그들의 배우자는 50대로서 20대와 다시 결혼해야 하는 나이다. 결국 80대에 들어선 노인들이 발붙일 곳은 어디에도 없는 셈이 되고 만다. 뿐만 아니라 부와 가난이 대물림된다는 점도 있다. 앞선 세대로부터 경제력을 물려받는다는 것이 이론의 핵심인 만큼 다음 세대는 앞 세대의 부와 가난을 고스란히 물려받을 수밖에 없다. 부자(富者)는 부자로 빈자(貧者)는 빈자로 계속 살아갈 수밖에 없는 구조가 되는 것이다.

당시 우린 이런 문제에 대한 대책도 나름 수립해두고 있었다. 여든이 넘은 사람들의 문제는 공동체를 형성하는 것으로 해결책을 제시했다. 소위 요즘 유행하는 실버타운 같은 환경을 염두에 둔 것이다. 만약 그 이론이 사회에 정착된다면 정부주도 하에 그런 마을과 시설

들을 조성하고 마련할 수 있으니 사실 크게 문제될 것도 없었다. 그때나 지금이나 굉장히 창의적인 발상임에 틀림없었다. 우린 빈부의 대물림문제도 아무 것도 아닌 양 일갈했다. 공산주의가 아닌 이상 빈부격차는 어느 세상에나 존재하기 마련 아니냐며. 게다가 푼돈이라 하더라도 이전 세대로부터 조금이나마 물려받아 출발할 수 있으니 빈손에서 출발하는 것보다는 백번 나을 거라 합리화하는 일도 마다않았다.

 그때만 해도 지독한 가난에 찌들려 부모님들로부터 학비를 받아쓰는 것조차 못내 죄송스럽게 여기던 시절이었다. 자연히 돈과 경제력이 초미의 관심사일 수밖에 없었던 우리는 무슨 큰일이라도 해낸 것처럼 의기양양했다. 심지어 그런 결혼문화가 정착되었으면 하고 쓸데없는 망상에 사로잡히기까지 했다. 오죽하면 그런 시스템을 당장 받아들이지 못하는 사회적보수성을 한탄하며 넋두리를 해대곤 했을까?

 생각해보니 그 이론대로 살아왔다면 난 지금 두 번째 결혼생활에 젖어있을 시기다. 그 말은 여태껏 내가 쌓아왔던 경제력을 20대의 배우자에게 넘겨주어야 할 때라는 의미다. 뿐만 아니라 곧 80대들의 공동체 속으로 사라져 가야 한다는 뜻이기도 하다. 물론 그 모든 것은 20대 배우자를 얻으면서 누린 만족감에 대한 지불비용이다. 또 내가 모은 돈이라는 것도 아주 많은 것이 아니라 겨우 빈곤을 면하는 수준일 수 있으며, 80대가 될 때까지 건강하게 살아있으리라는 보장조차 없다. 그럼에도 시각(視角)을 현재 시점으로 바꿔 보니 그 결혼제도라는 것이 심히 못마땅했다. 내가 그동안 수고해서 이뤄놓은 것들이 죄다 남에게 돌아가는 듯한 느낌을 지울 수가 없는 것이다. 열심히 살아온 대가가 이런 것인가 싶은 게 그처럼 불공정한 제도가 없었다.

불만은 생각을 확장시키는 불씨로 작용해 그 옛날 더 없이 좋은 제도라고 옹호했던 시절로 나를 돌아가게 해주었다. 새로운 관점은 내가 간과했던 점들을 하나하나 깨닫게 만들었다. 무엇보다 불만의 본질이던 나의 경제력은 순수한 내 수고의 결과물이 아니었다. 그건 20대의 나이에 내가 첫 결혼을 할 때 배우자로 택했던 50대의 여성으로부터 나온 것이다. 또 그때의 아내는 이 세상을 떠났거나 살아 있어도 이미 노인들 공동체로 떠나버린 상태다. 그런 사실을 난 깡그리 망각하고 있었다. 자기중심적 사고와 이기적 본능을 적나라하게 드러낸 행위가 아닐 수 없다. 아울러 평소의 내 이중적 인격을 여과 없이 보여주는 것이기도 했다. 한 가지 제도를 두고 내가 처한 상황에 따라 모순적이라고 비판을 하기도 하고 합리적이라고 옹호를 하기도 한 셈이었으니.

상대의 입장과 관계없이 자신의 이익에만 집착하는 진정한 내 모습을 가감 없이 보여준 것 같아 부끄럽기 짝이 없었다. 신문이나 각종 매스컴을 통해 사회 각 분야에서의 갈등 소식이 전해질 때마다 비분 강개하던 내 모습이 떠올랐다. 그때마다 난 양쪽이 상대를 배려하면서 조금씩만 양보하면 쉬 해결될 것인데 왜 그러지 못하냐며 그들 모두를 싸잡아 비난하곤 했다. 알고 보면 그 갈등의 중심에 내가 있다고 해도 과언이 아니었다. 역지사지할 줄 모르는 이기심의 온상은 바로 나였던 것이다. 속물적인 속내를 들킨 듯한 기분을 숨길 수 없었다.

 문득 친구 아들의 결혼식에 꼭 참석해야겠다는 생각이 들었다. 그 곳에서 친구를 만나면 다시 한 번 물어보고 싶었기 때문이다. 아직 도 그 결혼방식을 이상적이라 생각하는 데는 변함이 없냐고. 감사의 인사 또한 전하고 싶다. 나의 진정한 면모를 깨닫고 반성하도록 청 첩장을 보내준 데 대해서.

풍다우주(風茶雨酒), 우리 부부를 위한 사자성어

장마철이다. 후덥지근한데다 공기의 무게가 퍽이나 무겁게 느껴진다. 무거워진 공기는 나를 짓누르며 기분마저 저기압이 되게 한다. 불쾌지수가 상승하면서 우울해진다. 괜스레 옛 생각에 빠져든다. 만족스럽지 못한 현재 상황들이 아름다웠던 과거의 추억을 소환하는 것이다. 이상한 일이다. 왜 현재는 온통 불만투성이인데 과거는 누추한 기억들조차 그리움과 미련을 자아내는 것일까? 다시는 돌아갈 수 없다는 불가역성 때문일까? 그렇다면 오늘의 이 불만들도 시간이 흐른 훗날 돌아보면 덧칠되어 아름답게 기억될까?

비라도 확 쏟아졌으면 좋겠다. 쏟아지는 폭우를 바라보며 혼자서 호젓하게 낮술이라도 한 잔 하고 싶다. 술잔을 기울이며 주체할 수 없이 밀려드는 과거의 추억들을 천천히 곱씹어 보았으면. 어쩌면 술기운에 기대어 불만스럽기만 한 현재의 삶으로부터 잠시나마 벗어나고픈 돌발적인 충동 때문인지도 모른다. 우중충한 날씨가 우울감을 불러오는 바이러스라면 비와 술은 현실을 망각케 하는 치료약일 테니까.

비가 오는 날 마시는 술은 감정을 증폭시킨다. 빗물이 어울려 물길을 형성하듯 술기운은 몸속으로 퍼지면서 여러 종류의 감정들을 깡그리 끌어 모은다. 비는 폭우로 변하고, 내(川)가 되고 강을 이루던 물길은 마침내 범람한다. 과거를 회상하는 동안 내 감정들도 북받쳐 주체할 수 없는 지경에 이르다 끝내 폭발하고 만다. 비가 그치면서 평온을 되찾은 강은 그 바닥이 한층 정갈해진다. 한 차례 열병을 앓은 내 마음 역시 앙금들이 가라앉으며 카타르시스가 찾아온다. 그런 면에서 비와 술은 비록 걸러내는 물질이 다르긴 해도 모두 여과지에 다름 아니다. 여과지를 통과한 나의 현재는 초라한 색을 벗으면서 아름다운 과거로 변한다. 그러면 난 과거가 된 현재를 기꺼이 받아들일 수가 있다.

내 삶의 모든 부분이 이렇게 예쁜 색깔들로 채색되어 있다면 얼마나 좋을까? 그러나 불행하게도 내 삶의 시간표에는 이미 색칠된 과거와 현재만 있는 것이 아니다. 미처 색칠하지 못한 미래라는 놈도 존재한다. 놈은 잠시의 틈도 허락하지 않고 끊임없이 밀려온다. 미뤄둘 수도 없고 늦추어볼 수도 없다. 무슨 색을 입힐까 고민하기도 전에 사정없이 파고들 뿐이다. 난 그저 허둥대다가 어영부영 그 결과를 받아들일 수밖에 없다. 누군가는 미래를 개척해나간다지만 나에게는 그냥 견뎌내는 과정에 불과하다. 견디는 일이 습관화되다보니 무력하게 무너져 내리는 일도 일상화된 지 오래다. 포기하고 또 포기하고, 욕심을 버린다는 핑계로 희망마저 버려버린다. 그렇게 미래는 무의미하게 현재로 과거로 바뀌어간다. 내 가슴에는 다시 응어리가 생기고 그 크기는 점점 커진다. 지금 난 그 무게를 견디지 못할 지경에까지 이르러있다.

일기예보에서 오늘은 비가 많이 올 거라고 한다. 이번에는 태풍까지 동반하여 폭우가 쏟아질 예정이라고도 한다. 고개를 내밀어 하늘을 바라본다. 하늘이 온통 시커먼 먹구름에 휩싸여있다. 금방이라도 비가 쏟아져 내릴 듯하다. 최첨단의 슈퍼컴퓨터가 동원된 기상예보이니 틀릴 리 없을 것이다. 난 다시 서서히 감상에 빠져든다. 클래식의 선율이 방안에 흐른다. 바흐의 피아노소나타도 내 감정을 억누르지 못한다.

아니나 다를까 바람이 이는 듯하더니 빗방울이 떨어지기 시작한다. 빗방울은 점점 굵어진다. 바람도 거세진다. 열린 창으로 스며든 바람이 내 가슴을 훑고 지나간다. 가슴속에 구멍이 뻥 뚫리며 텅 비어버린다. 아까부터 조금씩 환상처럼 피워 오르던 과거의 기억들이 구체성을 띄면서 또렷하게 보이기 시작한다. 대학시절의 캠퍼스가 떠오르고, 불가능이라고는 없던 그 젊은 날이 떠오르고, 생동감 넘치던 여름 농활이 떠오른다.

노크소리가 들렸다. 대답을 하기 무섭게 빼꼼 문이 열리면서 아내의 얼굴이 나타났다. 웬일인가 싶어 동그랗게 눈을 모으는데 아내의 말소리가 이어진다. 막걸리나 한 잔 안 할래요? 바람이 불면 차, 비가 오면 술, 풍다우주(風茶雨酒)라 하잖아요? 이심전심이었을까?

덕분에 오늘도 술을 마신다. 그러나 난 믿어 의심치 않는다. 오늘 마시는 이 술 한 잔이 나의 과거와 현재뿐 아니라 미래까지도 걸러 줄

것이라고. 그러면 또 꼭 그 만큼 내 우울증은 해소가 되고 다음 비가 오는 날까지는 열심히 살아갈 수 있을 것이다. 비가 오는 날, 내가 술 꾼이 될 수밖에 없는 이유는 바로 그 때문이다.

우리 동네 경로당

점심으로 뭘 먹을까? 통 입맛이 없네. 아내의 목소리에는 더위에 지친 기색이 역력했다. 입맛 핑계를 대고는 있었지만 반복되는 가사에 싫증이 난 게 틀림없었다. 육십 나이에도 불구하고 하루도 빠짐없이 삼식이 구실을 톡톡히 하는 나를 남편으로 두었으니 말하자면 그건 일종의 업보였다. 괜스레 미안한 마음이 들었다. 나 역시 식욕이 동하지 않은 상태였다. 인심을 쓴답시고 기껏 내 입에서 튀어나온 말은 외식이었다. 그럼 요 근처 어디 가서 냉면이나 한 그릇 먹을까?

그렇게 집을 나서 식사를 마쳤을 때였다. 달랑 점심만 해결하고 집으로 돌아오는 것이 아쉬웠던지 아내는 커피를 한 잔 하고 가자고 말했다. 마침 식당 바로 앞에 카페 간판이 보였다. 제법 넓어 보이는 것이 잠시 쉬어가기에 안성맞춤이란 생각이 들었다. 별다른 고민 없이 난 아내의 손목을 잡고 그곳으로 향했다.

카페는 문을 여는 순간부터 우리의 상상을 초월했다. 넓은 공간이 사람들로 가득 찬 게 동네카페임을 무색하게 만들었을 뿐 아니라 그들이 나누는 대화소리는 시골장터를 연상케 했다. 대부분의 손님이 나이 지긋한 어르신들이라는 점도 고개를 갸웃거리게 만들었다. 편안히 쉬어가는 것이 아니라 소음에 시달릴 게 뻔했다. 생각하고 자시고 할 필요도 없이 난 돌아섰다. 그때 아내가 가만히 내 팔을 잡아당기며 손가락으로 매대 위에 걸린 메뉴판을 가리켰다. 거기엔 아메리카노라는 품목이 유난히 큰 글자로 박혀있었다. 이천 원이라는 가격과 함께. 다른 카페의 반값도 안 되는 그 가격은 소음이라는 악조건을 상쇄시키기에 충분한 당근이었다.

하지만 그 대가는 실로 컸다. 무엇보다 도무지 대화를 나눌 수가 없었다. 아내와 내가 소통하기 위해서는 주변의 소음을 굴복시킬 수 있는 보다 높은 데시벨이 필요한데 우리의 목청역량은 거기에 턱없이 부족했다. 급기야 우린 대화를 포기한 채 각자 자신의 일에 몰두하기 시작했다. 아내는 귀에 이어폰을 꽂았고 난 폰의 화면을 켜 그 속에 저장해둔 전자책을 펼쳤다.

얼마나 지났을까? 갑자기 옆자리에서 의문스런 풀피리 소리가 났다. 어린 시절 기다란 풀잎을 입에 베어 물고 내던 바로 그 소리였다. 고개를 돌렸더니 한 무리의 할머니들 가운데 한 사람이 빨대를 입에 물고 있었다. 풀피리는 바로 그 빨대였다. 신기한 재주를 선보인 탓에 주변의 시선이 죄다 그쪽으로 향했다. 그 와중에 무리 중의 일부는 자신도 흉내를 내보려 애를 쓰고 있었다. 주인공 할머니는 아주 자랑스럽게 문하생들에게 자신만의 연주비법을 전수하기까지 했다. 어려운 기술은 아니었던지 곧 그 주변은 풀피리 오케스트라로

변했다. 덩달아 여기저기서 호기심을 참지 못해 빨대를 입가로 가져가는 사람들이 생겨났다. 소음에 더해 연주회까지 벌어져 실내는 카페가 아니라 아수라장에 가까웠다.

그때 갑자기 홀 한가운데서 굉음에 가까운 소리가 들려왔다. 모든 사람들이 깜짝 놀라 그쪽을 쳐다보았다. 나 여시 마찬가지였다. 그곳에는 한 할머니가 두 눈을 부라린 채 학창시절 꽤나 껌을 씹었을 듯한 자세로 꼿꼿이 서서 의자를 바닥에 마구 부비며 소음으로 소음을 제압하려는 몸짓을 보이고 있었다. 말이라고는 한 마디도 내뱉지 않았지만 그건 누가 봐도 난장판에 대한 경고의 메시지였다. 곳곳에서 웅성거림이 일었지만 할머니의 카리스마에 거대한 소음의 물줄기는 한풀 꺾여들었다.

하지만 진정국면은 그리 길지 않았다. 낚시꾼의 미끼를 물었다 구사일생 살아난 물고기가 금방 그 사실을 잊어먹고 다시 미끼를 물듯 슬금슬금 눈치를 살피던 사람들은 어느새 일진 할머니의 존재를 잊어갔다. 오히려 할머니가 못 이겨 자리를 뜨는 장면이 목격되었다. 악화가 양화를 구축했다고나 할까? 소음에도 면역이 생기는 모양이었다. 시간이 지나면서 난 그럭저럭 그 카페만의 분위기에 익숙해져갔다.

잠시 후 이번에는 반대쪽 옆자리에서 대화를 나누던 한 쌍의 할머니가 한 곳을 응시하면서 짜증스런 표정을 지으며 혼잣말을 중얼거렸다. 아이 시끄러워. 꼭 저래 크게 음악을 틀어야 들리나, 원. 할머니의 시선이 가닿은 쪽에서는 불만의 이유를 설명하듯 혼자 앉은 할아버지의 핸드폰으로부터 팝송의 선율이 커다랗게 울려 퍼졌다. 팝송의 음향은 카페에서 자체적으로 틀어놓은 음악소리뿐 아니라 실내의 소음을 가소롭게 만들었다. 할아버지는 할머니의 불만에는 아랑곳하지 않은 모습이었다.

할아버지의 모습을 지켜보던 내 눈에 약간 이상한 점이 발견되었다. 할아버지의 귀에 이어폰이 꽂혀있었던 것이다. 분명 할아버지의 의도는 이어폰을 통한 음악 감상일 테지만 기기의 이상으로 그 소리가 밖으로 새어나온 것이 틀림없었다. 이어폰을 통해 소리가 잘 들리지 않으니 점점 볼륨을 키워 이 지경에까지 이르렀으리라. 나 또한 그런 경험을 한 적이 있지 않던가. 난 슬그머니 자리에서 일어나 할아버지 곁으로 갔다. 할아버지 이어폰을 잘못 꽂으신 것 같아요. 제가 한 번 해볼게요. 영문을 몰라 어리둥절해하던 할아버지는 나의 손놀림으로 이어폰을 통해 음악이 들려오자 금방 상황을 알아차리고는 주변사람들에게 미안하다는 목례를 보냈다. 짜증을 내던 할머니들의 인상이 활짝 펴지는 순간이었다.

자리에 돌아오자 아내가 우스갯소리를 했다. 동네 경로당이 따로 없네. 당신이 이 경로당 회장 한 번 맡아보는 건 어때? 무슨 이유에서인지 그때부터 이상할 정도로 모든 소음들이 귀에 거슬리지 않았다. 사람들 목소리 하나하나에 정겨움이 묻어났다. 덕분에 난 아주 기분 좋은 상태로 카페를 빠져나올 수가 있었다.

며칠 후였다. 점심때가 다 되어갈 무렵이었다. 아내가 나를 불렀다. 여보, 오늘 점심으로 냉면 어때? 간 김에 동네 경로당도 한 번 들러보고.

아내는 변덕쟁이

 뜸해진 동반외출을 만회하려는 마음에서 아내에게 근교의 수목원으로 나들이를 제안한 건 어제 저녁 무렵이었다. 기사를 검색하다 한 사이트에서 '수원의 가볼만 한 곳'이란 제목의 글을 읽은 것이 계기였다. 거기서는 세 곳을 소개하고 있었는데 두 곳이 수목원이었으며 나머지 한 곳은 농업박물관이었다. 수목원 중 한 곳은 우리가 이미 방문한 곳이었다. 초록이 우거진 곳이라면 두 말 않고 가보자며 앞장을 서는 아내였기에 남은 두 곳 중 어디를 선택해도 아내의 마음을 움직이는 것은 어렵지 않아보였다. 아니나 다를까 말을 마치자마자 아내는 선뜻 따라나서겠다는 뜻을 밝혔다.
 9월도 중순으로 접어들고 있었지만 오늘따라 늦더위가 한창이었다. 세월이 흐를수록 심해지는 지구온난화현상은 9월이면 가을이라는 등식마저 무색하게 만들었다. 내리쬐는 햇살은 유독 땀이 많은 체질인 나로 하여금 살의마저 느끼게 했다. 도무지 뜨거운 아스팔트

바닥을 걸을 엄두가 나지 않았다. 난 아내에게 차를 몰고 갈 것을 제안했다. 그럴 경우 수목원과 농업박물관을 하루에 다 돌아보는 것이 가능할 뿐 아니라, 두 곳 모두 주차공간이 넉넉해 주차문제라면 거의 노이로제 증상을 보이는 아내여도 신경 쓸 일이 없다는 점을 특히 부각시켰다.

　프리젠테이션에 가까운 장황한 내 설득에도 아내는 단호하게 거부의사를 표명했다. 목적지 다음 동선이 자유롭지 못하다는 이유에서였다. 모름지기 거기에는 습관처럼 드러내보이곤 하던 변덕이 도사리고 있는 게 틀림없었다. 원치 않는 상황이 발생할 경우 언제든 자신이 원하는 곳으로 목적지를 변경하겠다는 음흉한 의도가 표현만 되지 않았을 뿐 말속에 깊숙이 숨어있었던 것이다. 아니 어쩌면 수목원 주변에 위치한 한 맥줏집 때문인지도 모른다. 언젠가 한 번 나와 같이 그 집을 방문한 적이 있었는데, 자신이 직접 한 요리를 제외하고는 좀체 음식칭찬에 인색한 그녀가 그날 이후 그 집을 두고 치킨 인생맛집이라는 용어까지 하사했으니 말이다. 그렇다면 수목원 구경이 끝나는 대로 그곳에서 치맥을 즐기려는 속내를 은근히 내보인 것일 수도 있었다. 더운 날씨에 시원한 맥주 한 잔. 맥주라면 사족을 못 쓰는 나에게 그건 오랜 가뭄 끝에 단비와도 같은 소식이었다. 난 오히려 속으로 쾌재를 부르며 집을 나섰다.

　집에서 버스정류장까지는 700여 미터에 불과했지만 햇살이 쏟아붓는 쨍쨍한 열기는 우리의 발걸음을 한층 더디게 만들었다. 채 반도 못간 지점에서 아내가 멈춰 섰다. 표정에는 지친 기색이 투명하게 비쳐났다. 나 역시 아무리 수목원이라지만 무더위를 감수하며 돌아다닐 자신이 나질 않는 마당에 오죽할까 싶었다.

 힘들지? 지금이라도 내가 가서 차를 갖고 나올까?

 솔깃해 할 줄 알고 던진 말이지만 아내는 의외로 손사래를 쳤다. 난 그 손사래에 차량운전에 대한 반대의미 이외에도 다른 뜻이 숨어있음을 간파해냈다. 흔들거리는 손목 사이에서는 수목원뿐만 아니라 맥주고 치킨이고 간에 모든 걸 포기하고 싶다는 체념의 뜻이 강하게 일렁대는 중이었다. 굳이 그걸 내색하지 않는 이유조차 쉽게 파악되었다. 오늘마저 뚜렷한 명분 없이 계획을 변경해버린다면 변덕쟁이라는 단어는 이제 단순한 놀림감을 넘어서 자신의 대명사로 자리매김할지 모른다는 두려움이 마지못해 떼어놓는 발걸음에서 하염없이 피어나고 있었다.

 아내의 속마음을 떠보기로 했다.

 이리 더운데 그냥 가까운 곳에서 점심이나 먹고 찻집에 가서 커피나 한 잔 한 뒤 돌아갈까?

 예상은 정확히 적중했다. 아내는 마치 기다렸다는 듯이 즉각적인 반응을 보였다.

 그럴래? 왜 거기 있잖아? 우리가 자주 가던 냉면집. 수목원이야 단풍이 드는 가을에 더 예쁘지 않겠어?

 그길로 우리들의 수목원 행은 단박에 좌절되었다. 대체 목적지로 정한 냉면집과 단골카페로 향하는데 나에게서 무언가 평소와 달라진 점이 발견되었다. 아내 탓에 오늘 목적한 바를 이루지 못했음에도 아쉽다거나 괜히 시간낭비를 했다는 생각이 전혀 들질 않는 것이었다. 하루의 일정이 무너져버린데 대한 실망감 또한 생겨나질 않았다. 그저 변덕의 원인을 서로에게 전가하는 농담을 일삼으며 아내와 옥신각신한 게 다였다. 그조차 화가 나거나 분노가 생겨서가 아닌 웃음을 유발하는 장난기일 따름이었다.

 적당히 배를 채운 상태에서 카페에서 시간을 보낼 때였다. 묘한 의문이 일었다. 하루를 고스란히 망친 거나 진배없는데 오늘은 왜 언짢다는 감정이 생기지 않는 것일까? 답은 어렵지 않게 찾아졌다. 일정을 변경한 주체가 바로 나였기 때문이었다. 만약 목적지를 바꾸자는 말이 아내의 입에서 먼저 나왔다면 난 또 아내의 변덕을 문제 삼으며 불쾌감을 표출했을 것이었다. 설령 이성적으로 판단할 때 그것이 올바른 결정이라 하더라도 남으로 인해 나의 시간들이 영향을 받았다는 점에서 그럴 가능성이 농후했다. 그건 잘못을 남에게 전가하려는 인간본능에서 비롯되는 행위였다. 차이는 바로 거기에 있었다. 마음속에 품은 생각과는 달리 겉으로 드러난 행위를 누가 했느냐의 차이.

 결과적으로 오늘 일은 나에게 분노를 조절하는 방법을 한 가지 알려준 셈이었다. 엄청나게 나를 화나게 하는 일도 그 원인의 주체를 나로 만드는 순간 내 마음속에 분노가 자리 잡을 공간은 줄어든다는 사실. 다른 사람이 아닌 나 자신을 향한 분노는 그만큼 제한적일 수밖에 없을 테니까. 당연히 분노의 크기나 분량도 남을 향해 폭발시키는 것에 비해 훨씬 줄어들었으리라.

 아내의 변덕이 심하다는 건 가족 사이에 이미 알려진 만큼 부정할 수 없다. 그렇다면 앞으로는 아내가 변덕을 부릴만한 시점에 내가 먼저 나설 필요가 있었다. 그것이야말로 아내의 변덕으로 인해 생기는 나의 화를 줄이는 방법이기도 하거니와 우리 부부관계가 상처입지 않는 더없이 훌륭한 방법이기 때문이다.

앞선 자와 뒤따르는 자

아내와 함께 등산을 한 것은 실로 오랜만의 일이다. 우리 둘 모두 산 오르기를 취미로 삼을 만큼 썩 좋아하지 않는 탓이다. 물론 내가 가끔씩 집 근처에 있는 광교산을 찾는 경우는 있었다. 하지만 그건 좋아서라기보다 하루의 운동량을 채우려는 의무감 때문인 경우가 대부분이었다. 아내 역시 오르막과 내리막을 힘겹게 걷는 행위를 달가워하지 않았다. 특히 나와 함께 가는 건 의도적으로 피했다. 옆 사람은 조금도 고려하지 않은 채 마치 쫓기는 사람처럼 무턱대고 앞만 보고 올라가는 나를 보며 진저리를 치곤했다.

 그런 아내가 어제 저녁에는 완전히 달라져있었다. 내일은 달리기 대신 등산이나 해볼까? 매일 반복되는 아침달리기의 힘듦과 지루함으로부터 탈피하고자 그저 지나가는 말처럼 내가 혼잣말을 내뱉었을 때였다. 이상하게도 아내는 그 말이 마치 자신을 향한 권유이기라도 한 것처럼 적극적인 반응을 보였다. 그래, 광교산에 가자. 종주는 못해도 헬기장까지만 갔다 오지 뭐. 그건 달리기라면 기겁을 하던 그녀가 최근 무슨 일이 있었는지 벌써 2주째 아침마다 그리 먼 거리는 아니어도 달리기에 열을 올리는 것만큼이나 나를 놀라게 만드는 일이었다. 그 사이 우리에게 달리기라는 공통분모가 생긴 때문일까? 아니면 아내에게도 벌써 달리기에 대한 싫증이 운동에 대한 의무감에 겹쳐서 나타난 것일까?

등산이든 달리기든 부부가 어떤 활동을 함께 한다는 건 굉장히 긍정적인 현상이다. 더욱이 우리는 하루가 다르게 나이를 먹어가는 처지였으니 공통의 관심사가 있다는 사실만으로도 서로에게 의지가 될 뿐 아니라 삶에 보탬이 될 것이다. 그런 의미에서 모처럼 찾아온 호기를 놓치기가 아까웠다. 그래 선뜻 승낙을 한 것이 오늘로 이어진 것이다.

등산길 초입에 들어서면서 난 이전의 일을 떠올리며 각별히 유념했다. 더 이상 아내가 나를 허겁지겁 따라오게 만드는 실패사례를 되풀이할 수는 없었다. 아내를 앞세웠다. 그건 처음부터 끝까지 오롯이 아내의 속도에 내가 맞추겠다는 의지의 표명에 다름 아니었다. 누군가에게 자신의 뒷모습을 보이는 것이 부담스럽다며 아내는 원치 않았지만 한사코 나는 그걸 관철시켰다. 결과는 만족스러웠다. 아내는 전혀 나의 영향을 받지 않고 자신의 속도로 나아갈 수 있었고 난 동행인을 배려하지 않는다는 오명으로부터 해방될 수 있었다. 덕분에 산을 오르는 시간이 평소보다 한층 늘어나긴 했지만.

아쉬운 점은 있었다. 산을 오르는 도중 아내가 땀을 닦느라 주머니에서 손수건을 꺼낸 적이 있었는데 그걸 분실한 것이다. 딸아이가 선물한 것이어서 아내는 더욱 안타까워했다. 난 죄책감에 사로잡히지 않을 수 없었다. 앞에 가던 사람이 흘린 물건을 뒤따라가면서 발견하지 못했으니. 자칫하면 또 다른 오명을 덮어쓸지도 모를 위기감마저 느껴졌다. 왠지 뒷맛이 개운치 않았다.

그러나 목적지에 도착하면서 걱정은 기우에 불과했음이 밝혀졌다. 아내는 손수건에 대한 기억을 깡그리 잊은 듯 아주 밝은 표정이었다. 내게 셀카를 찍자며 핸드폰을 꺼내든 건 그 방증이라 할 수 있었다. 자신의 흔적을 남기는 걸 탐탁찮아했을 뿐 아니라 찍어둔 사진조차 다시 꺼내보는 일이 없다며 사진촬영의 의미를 깎아내리기만 하던 아내였는데. 그뿐이 아니었다. 찍은 사진을 가족대화방에 올려 아이들에게 보여주자는 말까지 서슴지 않았다. 실로 엄청난 변화였다. 계속 의아한 표정을 짓는 나에게 아무렇지도 않다는 듯 대꾸를 하기도 했다. 가까운 사이일수록 자주 접촉해야 정이 깊어지지 않겠어. 새 식구가 된 며느리도 스스럼없어질 테고. 정확한 원인을 알 수 없었지만 아이들과의 소통의지가 굳건해진 것만은 틀림없었다.

산을 내려올 때였다. 아내는 한술 더 떠 최근 들어 우리 두 사람이 함께 하는 여러 가지 활동들에 특별한 의미를 부여하려는 뜻마저 비쳤다. 여행에 달리기, 그리고 등산에 이르기까지 많은 활동을 함께 하고 있으니 비록 두 사람이지만 동아리가 아니냐면서. 우리 두 사람의 이름을 조합해가며 동아리의 이름을 정하는 장난기마저 유감없이 발휘했다. 한 마디 한 마디에 일일이 답을 하지는 않았지만 난 절로 흐뭇해졌다. 부부의 진정한 의미란 이런 게 아닐까? 끊임없이 무언가를 함께 하려 노력하는 관계.

욕심이 생겼다. 더도 말고 덜도 말고 앞으로도 계속 우리 두 사람 사이가 이렇게만 유지되었으면. 어쩌면 그 비법은 오늘 행한 등산에 숨어있는지 모른다. 그걸 찾아내려 몇 번이고 등산의 과정을 되돌려 보았다. 암만 생각해도 오늘 달라진 점이라고는 아내와 나의 위치가 바뀐 것뿐이다. 그렇다면 그게 정답이 아닐까? 서로의 위치가 바뀜으로써 상대를 더 이해할 수 있게 된 것. 한 가지를 더한다면 그로 인해 상대를 향한 배려가 필요하다는 인식의 공감. 두 사람 모두 직접 표현하지는 않았지만 앞선 자와 뒤따르는 자의 입장이 모두 되어봄으로써 각자에게 필요한 것이 무엇인가를 스스로 깨닫게 되었고 나름 그것들을 베풀어보려 했던 게 아닐는지. 산을 다 내려오자 저 앞 식당의 전광판에서 붉은 색의 광고성 문구가 지나가고 있었다. 내 눈에는 그 글귀가 역지사지(易地思之)라는 사자성어로 보였다.

냉전에서 해빙까지

　칼로 물 베기라는 부부싸움을 했다. 다른 사람들과 마찬가지로 하찮은 이유에서 출발한 것이었다. 그조차 이제는 이력이 붙어 크게 번지지도 않았다. 적당히 불이 붙을 만하면 둘 모두 그 자리를 피하는 지혜 아닌 지혜를 발휘한 탓이었다. 물을 벤 자리가 아무런 표시 없이 제 모습을 찾는 것처럼 우리들의 전장은 이전의 고요를 되찾았다. 하지만 그것은 겉보기에 불과했다. 불씨가 사라지지 않은 불에서 화기가 당장 사라질 리 만무했다. 화기는 고스란히 내 몸속으로 옮겨왔다. 나의 오장육부는 한동안 그 불에 사정없이 타들어갔다. 더 이상 땔감이 공급되지 않으면서 불이 사위어 겨우 내 감정을 추스를 수 있을 때가 되자, 몇 십 년을 함께 부부로 살아오면서도 서로를 이해하지 못하는 안타까움과 섭섭함이 재가 되어 남아있었다.
　그때부터 다툼의 귀책사유가 누구에게 있는지 따져보았다. 인간이란 원래 자기합리화에 아주 뛰어난 자질을 갖춘 동물이어서 결과는 보나마나 뻔했다. 백번 양보해 쌍방이 피해와 가해를 동시에 주고받았다 하더라도 가해의 비율이 높은 쪽은 분명 아내였다. 이런 다툼이 반복되는 이유가 무엇인지 궁금했다. 과거를 거슬러 올라가며 기억들을 소환했다. 기억은 대부분 훼손되어있었다. 다툼의 현장은 거의 자취를 감추고 서둘러 봉합한 흉터만 남은 채였다. 그조차 하나같이 내 쪽에서 양보하며 바느질한 서툰 솜씨였다. 판단의 주체가 바뀌지 않았으니 나의 피해의식에 변화가 생길 까닭이 없었다.

숙고 끝에 양보가 문제라는 결론에 도달했다. 근본적으로 문제의 원인이 제거되지 않은 상태에서 어떡하든 불화의 기간을 줄이려 내가 한 발 물러선 것이 화근이었다. 무슨 병이든 완치하지 않으면 언제든 재발하는 법이다. 이번을 계기로 더는 부부싸움이라는 걸 하고 싶지 않았다. 그러기 위해서는 무턱대고 내가 양보하며 무마할 것이 아니라 아내로 하여금 잘못에 대한 철저한 자각이 이루어지도록 만들 필요가 있었다.

그렇다고 토론의 장을 열 수는 없었다. 몇 차례 시도해보았지만 그때마다 그건 실패로 돌아갔다. 무엇보다 다툼이 있기까지의 모든 과정을 나는 논리적으로 설명하지 못했다. 아마도 잘잘못의 주체가 불분명한 상태에서 아내를 가해자로 몰아가려는 데만 초점이 맞춰진 성급함 때문이었을 것이다. 자연히 논점은 흐려졌고 수시로 궤도를 이탈해 전혀 엉뚱한 방향으로 향하기 일쑤였다. 그럴수록 무리수가 동원되었다. 별건의 사실들이 불거져 나왔고 사태는 기름을 부은 양 걷잡을 수 없이 악화일로로 치달았다.

유일한 해결책이라면 아내 스스로 깨우치도록 하는 방법뿐이었다.

아내 역시 지금쯤 여러 가지 방법으로 부부싸움을 복기할 것이 뻔했다. 그 말은 그녀가 나와 별 다르지 않은 정상적인 사고를 하는 사람인만큼 자신의 잘못에 대해 어느 정도는 인식할 거라는 뜻이었다. 난 기다리기로 했다. 잘못의 인지가 자존심의 벽을 허물고 사과라는 행동으로 이어지려면 시간이 주어져야하지 않겠는가. 대신 그때까지 화해의 몸짓을 거부함으로써 아내를 계속 우리가 싸우던 그 공간에 머물게 해야겠다고 마음먹었다. 그러면 머잖아 아내가 나의 기대에 부응하는 순간이 도래할 것이 틀림없었다.

며칠이 지났다. 우리 사이에는 아무런 변화가 없었다. 두 사람이 마주칠 때면 대화 한마디 없었고 그저 냉랭한 공기만 분위기를 감싸고 돌았다. 그게 전부가 아니었다. 이따금씩 아내가 혼자 있을 때를 훔쳐보자면 도무지 무언가를 골똘히 생각하는 모습이 아니었다. 아내는 나와 부딪힐 때를 제외하고는 아주 정상적으로 생활하고 있었다. 숫제 다투었던 그 일에 대해서는 잊어 먹은 듯했다. 반면 나의 불편은 점점 가중되어갔다. 아내의 손을 빌지 않으면 안 되는 그런 일들은 도처에 널려있었다. 세끼 식사도 빨래도 심지어 내 소지품 중 무언가를 찾으려 할 때도. 내 예상은 완전히 빗나가있었다.

다 늙어가는 마당에 냉전이 계속된다면 부부관계에 이로울 게 없었다. 아내가 먼저 사과를 한다고 해서 앞으로 부부싸움이 근절된다는 보장도 없었다. 결국 어떤 식으로든 해결이 필요했고 그러기 위해서는 내가 먼저 손길을 내미는 수밖에 없었다. 그럼에도 아무런 조치없이 그냥 숙이고 들자니 자존심이 허락하지 않았다. 나름 출구전략으로 내세운 건 서로 과실을 인정하며 반성하는 것이었다. 생각해보니 이건 내 잘못인 것 같아. 하지만 당신의 이런 언행도 결코 바람직하지 않았어. 앞으론 서로가 상대를 좀 더 배려했으면 해. 그렇게 말머리를 끄집어내려고 했다. 서둘러 부부싸움을 했던 그날로 되돌아갔다.

하지만 그 일마저 녹록치 않다는 걸 깨달았다. 심해진 망각 증상 때문인지는 몰라도 그때의 상황은 자욱한 안개 속에 가려있었다. 싸움의 원인이라는 것도 명확하게 집어낼 수가 없었다. 그저 그때 느꼈던 아픔과 서운함만이 크기를 키운 채 아련하게 남아있을 따름이었다. 며칠간 냉전을 불사할 정도라 여겼던 명분은 이미 흔적조차 남기지 않은 채 사라진 뒤였다. 그만큼 시답잖은 일에서 출발한 싸움이었다. 무색해진 출구전략 앞에서 난 망연자실했다.

그때서야 부부싸움은, 원인을 근절시켜 완벽하게 해결하려고만 할 것이 아니라 화해의 시기를 한시라도 앞당기는 것이 더 중요하다는 사실을 깨달았다. 상처를 건드리면 건드릴수록 덧나듯이 부부싸움으로 입은 상처 또한 헤집으면 헤집을수록 아픔은 더욱 커지기 마련이다. 괜히 원인을 궁극적으로 찾겠다며 상처를 들쑤시면 바이러스는 증식되고 전이될 뿐이다. 아울러 원인은 점점 미궁 속으로 빠져들고 어찌어찌 치료를 했다한들 영원히 흉터가 남는 잘못을 범하기 십상이다. 상처에는 원인과 상관없이 일단 소독부터 서둘러야 한다. 그걸 방치하는 순간 완전한 복원의 기회는 날아가 버린다.

이것저것 따지지 않기로 했다. 집으로 돌아가는 길에 편의점에 들렀다. 아내가 좋아하는 맥주를 골라 봉지에 담았다. 예전과 같이 그저 없었던 일처럼 모른 척 맥주를 한 잔 가득 따라 아내의 손에 쥐어

주며 어색한 웃음을 흘리는 것이 가장 좋은 해결책이 되리라 철석같이 믿으면서. 편의점을 나서자 물을 베기 위해 야심차게 휘둘렀던 내 칼날에는 물방울조차 남아있지 않았다.

버리고 나면 꼭 필요해지는 아이러니

몇 달째 이어지는 허리 병의 원인이 혹시 백팩 때문은 아닐까? 사실 그 의심은 전혀 터무니없는 것이 아니었다. 매일같이 그걸 어깨에 메고 다녔을 뿐 아니라 그때마다 허리에 부담을 느끼곤 했으니. 백팩의 무게 또한 무시할 수 없는 수준이었다. 그 안에는 노트북과 관련 케이블은 물론 책이며 온갖 잡동사니들이 다 들어있었다.

이번 기회에 손가방으로 바꾸어야겠다는 생각을 했다. 직장생활을 할 때 들고 다니던 가방이 떠올랐다. 노트북을 넣을 수 있을 정도의 크기에 어깨끈이 달려있어 손목이나 팔 힘이 부치면 곧바로 어깨에 멜 수도 있는 것이었다. 창고를 뒤지자 그건 어렵지 않게 찾아졌다. 하지만 상태는 생각과 많이 달랐다. 이것저것 쑤셔 넣다보니 의외로 수납공간이 많이 부족했다. 게다가 손잡이가 영 부실해 금방이라도 노트북의 무게를 견디지 못하고 떨어져나갈 것만 같았다.

아내에게 SOS를 날렸다. 부탁을 듣자마자 아내는 얼마 전까지만 해도 처치곤란이다시피 하던 노트북 가방을 소환했다. 그동안 우리가 산 노트북의 수량은 실로 어마어마했다. 아이들 몫이며 내 몫이 따로 있었을 뿐 아니라 몇 년만 지나면 구닥다리가 되어버리는 IT 기기의 특성상 수시로 교체가 이루어진 탓이었다. 그때마다 수명이 다한 노트북은 폐기물 수거장으로 사라졌지만 가방은 마치 역사적 유물이라도 되는 것처럼 꼬박꼬박 창고에 보관되었다. 아내가 내 기억을 상기시킨 건 바로 그 가방이었다. 그런데 오늘따라 창고에는 그것들이 하나도 보이지 않았다. 아내는 겸연쩍은 표정으로 그 이유를 설명했다. 창고정리라는 미명하에 불과 며칠 전 그것들을 모두 처분해버렸다는 것이었다. 만약의 경우를 대비해 하나쯤 남겨둘 법도 하건만 아무리 뒤져도 그림자조차 보이지 않았다.

나의 동의하에 이루어진 정리였다는 아내의 부연설명은 나를 더욱 후회로 내몰았다. 안타까움에 계속 창고를 뒤지는 나를 보며 아내가 말했다. 종종 재활용품 수거장에 가면 그런 가방들이 나오곤 해. 그러면 내가 깨끗한 놈으로 내가 하나 구해다 놓을게. 우린 늘 그런 식이었다. 다시는 쓸 일이 없다며 과감하게 버리고는 얼마 지나지 않아 그것의 필요성이 절실해져 발을 동동 구르곤 했다. 그 때문에 몇 년 동안 한 번 거들떠보지도 않는 물건조차 차곡차곡 쟁여놓기도 하지만 어느 날 그것이 부부싸움의 단초를 제공하기도 해 사그리 정리하고 나면 또 이렇게 아쉬운 순간과 마주하곤 하는 것이다.

포기하지 않고 창고를 뒤진 보람은 있었다. 용도에 꼭 맞는 것은 아니지만 여행용 손가방을 하나 찾아냈다. 아쉬운 건 용도 자체가 다른 만큼 노트북에는 어울리지 않게 크고 투박하다는 점이었다. 부피만으로 보자면 노트북이 아니라 데스크 탑도 거뜬히 넣을 수 있을 정도였다. 궁여지책으로 그걸 가져다 노트북을 넣은 후 요모조모 살펴보았다. 아무래도 도서관이며 동네 카페를 출입하기에는 궁색해 보였다. 불현듯 어린 시절 추운 겨울날이면 몸에 맞지 않게 큰 아버지의 외투를 입혀주곤 하던 어머니가 연상되었다. 아이들에게 놀림거리가 되는 게 싫어 불평이라도 할라치면 어머니는 추워서 덜덜 떠는 것보다 백배 낫지 않느냐며 내 가벼운 입을 여지없이 다물게 만들었다. 여행용 가방 역시 어울리지는 않았지만 허리 병으로 고생을 하는 것보다는 분명 나은 선택이었다. 난 아쉬운 대로 그것을 백팩 대체용품으로 결정했다.

가방 한쪽 면에 여행용캐리어의 손잡이에 걸 수 있도록 특수한 걸이가 마련되어있는 것도 장점이라면 장점이었다. 그건 해외여행 때도 백팩이 아니라 이 가방을 이용할 수 있다는 의미였다. 여행 중에도 항상 내 곁을 지키는 노트북임을 감안하면 허리에 부담을 주지 않으면서 휴대할 수 있으니 일석이조라는 표현이 결코 어색하지 않았다. 뿐만 아니라 가방의 공간이 넉넉해 캐리어중량이 수하물허용중량을 초과할 경우 짐을 분산하기에도 편리했다. 가방무게 때문에 쇼핑조차 마음 놓고 하지 못한다며 불평하던 아내에게는 여행의 신기원을 여는 계기가 아닐 수 없었다. 아니나 다를까 그런 사실을 알리자 아내는 반가워하는 표정이 역력했다. 그것만으로도 난 노트북가방을 정리한 아쉬움을 충분히 달랠 수가 있었다. 마음속으로 잔잔한 위로의 물결이 굽이치며 밀려들었다.

가방정리가 끝나자 방 한쪽에 여태 사용했던 백팩이 입을 벌린 채 무기력하게 널브려져있었다. 난 그걸 집어 들고 창고로 가 한쪽구석에 치워두었다. 그 모습을 보던 아내가 말을 건넸다. 그럼 노트북 가방을 찾느라 재활용품 수거장을 뒤질 필요는 없겠네? 대체한 가방으로 완벽한 만족을 얻은 것은 아니었기에 난 머뭇거리며 중얼거렸다. 굳이 애써서 찾아다닐 필요는 없지만 어쩌다 괜찮은 게 눈에 띄면 주어다 줘, 아내의 말이 이어졌다. 그럼 저 백팩은 버려도 되는 거야? 난 펄쩍 뛰었다. 무슨 소리야. 저건 내가 얼마나 아끼는 건데. 돌아보니 아내의 얼굴에는 장난기가 가득 서려있었다. 순간 우리가 죽으면 입게 될 수의에는 주머니가 없다는 사실이 퍼뜩 머릿속을 스쳐지나갔다.

버린 가방과 찾은 가방

 아내가 가방을 하나 주었다. 백팩을 메고 다니다 허리 병 때문에 손가방으로 바꾸었는데 그게 노트북가방으로는 영 어울리지 않아 이따금 불만을 토로하던 내가 마음이 쓰였던 모양이다. 가방끈이 어깨에 걸머질 수 있을 정도로 좀 긴 게 손가방이라기보다는 어깨 가방에 가까운 것이었다. 그 또한 용도가 노트북을 위한 것은 아니지만 평소 그런 가방이 하나쯤 있었으면 하던 차였기에 난 얼른 받아들였다.

 받고 보니 왠지 낯익은 가방이었다. 이유는 가방을 받아든 채 이런저런 이야기를 주고받는 과정 중에 자연스레 밝혀졌다. 다름 아닌 불과 한 달 여 전 딸이 아내에게 선물했던 것이었다. 아내는 선물을 받은 순간부터 내게 내보이며 곧잘 자랑해대곤 했다. 기껏 며칠 써보지도 않으면서 공연히 장점들을 한 아름 쏟아내는가 하면, 가끔 그걸 끌어안고 애지중지하는 모습을 보이기도 했다. 딸이 야근이다 특근이다 불사해가며 번 돈으로 사 준 것이니 오죽했을까?

 그렇게 아끼는 물건을 선뜻 내게 내어준 까닭은 쉬 짐작할 수 있었다. 모름지기 거기에는 약간의 죄책감이 포함되어있는 게 틀림없었다. 원래 창고에는 백팩을 대체할 만한 노트북 가방이 수두룩했었지만 그 많던 것들을 정리한다는 핑계로 아내가 모조리 처분해버렸던 사실이 드러난 탓이었다. 물론 폐기를 하는데 내 책임이 없는 건 아니었다. 주로 내가 쓰던 물건이었으니 나와 상의를 한 후에 벌인 행동일 게 뻔했다. 그럼에도 결과적으로는 자신의 행위로 인해 요 며칠 용도에 맞지도 않는 가방을 들고 다니면서 내가 불평을 늘어놓곤 했으니 아내로서는 영 마음이 편치 않았을 것이다.

 새 가방에 노트북을 비롯해 소지품들을 넣어보았다. 가방은 내가 늘 넣고 다니던 모든 것을 수용하기에는 약간 작은 듯했지만 사용이 영 불가능할 정도는 아니었다. 게다가 디자인이 제법 세련되었을 뿐 아니라 바느질이 꽤 튼튼해 외출용으로 더할 나위 없이 잘 어울렸다. 난 이전의 가방에 있던 내용물을 몽땅 그 가방으로 옮겨 담으며 당장부터 사용하리라 마음먹었다. 미리 아내와 외출약속이 되어있던 은행으로 향하면서 그걸 어깨에 멘 것은 말할 것도 없다.

 저녁 무렵이었다. 창고에서 무언가를 정리하던 아내가 큰 소리로 내게 외쳤다. 여보, 노트북 가방 찾았어. 다 버린 줄 알았더니 여기 하나가 남아있네. 그 말은 잊혀져가던 기억을 다시 떠올리게 하는 불쏘시개가 되었다. 아내가 아침에 새 가방을 건네주는 바람에 해결된 것으로 치부하고는 있었지만 사실 노트북 가방은 나에게 아직 미결상태로 남아있었다. 그 가방 역시 애당초 노트북 용도로 제작된 것이 아니어서 어딘지 모르게 아쉬워하던 중이었기 때문이다. 찾은 가방이 어떤 것인지 궁금해 소파에서 벌떡 일어섰다. 그 사이 아내는 나보다 더 다급했던지 어느새 내 앞에 도달해있었다. 쑥 내민 그녀의 손에는 오래 전 내가 매일같이 들고 다니던 검정색 가방이 대롱거리고 있었다.

그건 수납공간이 여럿으로 나뉘어져있을 뿐 아니라 노트북을 포함해 책을 두어 권 정도 더 넣을 수 있는 크기였으니 내가 원하던 것과 완전히 일치하는 것이었다. 반가운 마음에 그걸 받아들고 이리저리 살펴보았다. 흠집도 하나 없이 아주 깨끗했다. 그래 바로 이걸 찾았던 거야. 어디 있었어? 아내는 그것을 찾은 과정을 마치 무용담을 늘어놓듯이 장황하게 설명했다. 가방에 몰두하느라 난 그 말에 전혀 귀를 기울이지 않았지만 한동안 아내는 그렇게 내 앞을 떠나지 않았다.

다시 가방을 정리했다. 책이며 노트, 필통, 이어폰 등 항상 들고 다니던 물건들은 마치 제자리를 찾은 듯 깔끔하게 가방 속에서 정돈되었다. 아침에 아내가 준 가방은 텅 비었지만 난 그것의 새로운 용도마저 찾아냈다. 종종 가볍게 나들이를 할 때 태블릿이랑 책 한 권 정도를 넣어 다닐 수 있는 어깨 쌕이 있었으면 했는데 그 용도로 사용하면 아주 좋을 것 같았다. 그럴 목적으로 따로 가방을 옷걸이 한 곳에 걸어두려 할 때였다. 거실에 있던 아내로부터 또 한 차례 외침소리가 들려왔다. 여보, 노트북 가방 찾았으니 이제 아침에 내가 주었던 그 가방은 돌려줘야 돼. 정리 끝나면 나오는 길에 갖다 줘.

할머니의 독서와 할아버지의 필사

 카페에 앉아 한참 시간을 보낼 무렵이었다. 출입구의 문이 열리면서 노부부 한 쌍이 들어섰다. 팔십대는 너끈해 보이는 게 못 보던 얼굴이었다. 동네카페여서 대부분의 고객이 단골들인데다 난 이미 그곳의 터줏대감을 자처하고 있었기에 웬만하면 눈에 익은 사람일 텐데 그들은 달랐다. 호기심이 스멀스멀 고개를 쳐드는 사이 두 사람은 빈자리를 찾아 이리저리 두리번거리다 내 바로 옆에 자리를 잡았다.

 곧 무엇을 마실 것인가를 두고 두런두런 의견을 나누는 소리가 들려왔다. 주문을 키오스크로 하는 매장이라 은근히 걱정이 된 나는 유심히 지켜보았다. 그 나이라면 기기사용에 익숙하지 않을 게 뻔했다. 그러나 나의 예상은 보기 좋게 빗나갔다. 원하는 음료를 확인한 할머니는 할아버지를 자리에 앉혀둔 채 일어나 거침없이 키오스크 앞으로 가서는 아무런 문제없이 음료의 주문을 마쳤다. 손놀림이며 소요된 시간으로 미루어 여느 젊은이 못지않은 솜씨였다. 관심은 기하급수적으로 덩치를 키우며 제 체급을 올렸다.

잠시 후 음료를 마시며 대화를 나누던 두 사람은 각자 자신들의 가방을 뒤적이기 시작했다. 무료해진 나머지 소일거리를 찾는 게 분명했다. 곁눈질을 이용한 나의 훔쳐보기는 계속되었다. 가방에서 빠져나온 그들의 손에는 책이 한 권씩 들려있었다. 두 권 모두 우리나라에서 내로라하는 작가의 소설집이었다. 그때부터 할머니는 독서삼매경에 빠져들었다. 그것도 예사로운 일은 아니지만 이어진 할아버지의 행동은 나의 이목을 집중시키기에 더더욱 충분했다. 추가로 노트까지 꺼내 든 다음 별 일 아니란 듯이 책 내용을 노트에 옮겨 적기 시작한 것이다. 펼쳐진 책의 페이지와 이미 많은 내용이 기록된 노트는 필사가 하루 이틀의 일이 아님을 증명했다.

그때서야 어렴풋이 7~8년 전의 기억이 떠올랐다. 실직을 막 당해 좌절감을 극복하려 도서관을 출입하며 나름 와신상담의 의지를 다질 때였다. 그곳에서 난 나만큼이나 매일같이 도서관을 출퇴근하다시피 하는 어르신을 한 명 만났다. 그가 하루 종일 하는 일은 독서와 필사가 전부였다. 필사를 한다는 게 보통 사람이 아니다 싶어 주의 깊게 살피곤 했었는데 그때 그 사람이 바로 오늘 옆자리의 할아버지였다. 할머니 역시 당시 할아버지가 휴게실에서 휴식을 취할 때면 그 곁을 지키곤 했던 기억이 선명했다.

세월은 결코 그냥 흐르는 법이 없어서 할아버지의 얼굴에는 주름살이 많이 늘어있었다. 하지만 여전히 환한 미소를 간직한 상태였고 말을 하는 품이며 행동거지에 교양이 충만한 게 그때와 별반 다르지 않았다. 할머니와 대화를 나눌 때도 자분자분하니 품위가 그대로 묻어났다. 건강한 두 사람의 모습을 보는 순간 까닭모를 반가움이 확 밀려들었다. 흔히들 늙어 건강을 유지하기 위해 세 가지가 필요하다는 말을 하곤 한다. 신체적인 운동, 정신적인 사고, 사회적 관계가 바로 그것이다. 할아버지야말로 이 세 가지를 완벽하게 갖춘 사람이 아닐까? 동네주변을 걸어 다니면서 도서관과 카페를 찾고, 끊임없이 독서와 필사를 하며, 할머니와 원만한 관계를 유지하고 있으니. 부러움을 넘어 본받아야겠다는 생각이 들었다. 그러기 위해서라도 꾸준히 달리기를 하고, 독서와 글쓰기를 빠뜨리지 않으며, 친구나 아내와 화목하게 지내기를 최고의 가치로 삼아야겠다고 다짐했다.

 얼마쯤 지났을까? 갑자기 주위가 소란스러웠다. 손님들이 몰려든 것이다. 일부 사람들은 빈자리를 찾지 못해 주변을 서성거렸다. 그때 할아버지가 주섬주섬 테이블 위를 정리하기 시작했다. 이내 조그만 테이블 두 개가 맞닿아있던 그들의 좌석 중에서 하나의 테이블이 깨끗이 비워졌다. 부창부수라더니 할머니는 할아버지의 의도를 금세 파악하고 치워진 테이블과 의자를 한쪽 옆으로 밀어냈다. 순식간에 2인용 좌석이 새로 마련되었다. 매장 내에서 서성이던 두 사람이 그걸 발견하고는 자리를 차지하며 그들을 향해 감사의 인사를 전했다. 코끝이 찡해지는 순간이었다.

 다시 시간이 흘렀다. 돌아갈 때가 되었던지 할아버지와 할머니가 자리에서 일어섰다. 소지품을 챙겨든 그들은 앉았던 의자를 다소곳이 테이블 밑으로 밀어 넣었다. 그리곤 사용했던 컵을 할아버지가 퇴식구로 반납하는 동안 할머니는 물티슈를 꺼내 테이블 위를 말끔

히 닦았다. 좌석은 그들이 처음 점했을 때보다 한결 윤기가 반들거
렸다. 반짝임은 고스란히 조용히 카페를 빠져나가는 그들의 등 뒤
로 옮겨갔다. 난 그들과의 작별이 왠지 아쉬워 떠나간 자리를 눈으
로 더듬었다. 그들의 흔적은 어디에도 없었다. 그저 아름다운 사람
은 떠난 자리도 아름답다는 글귀만 테이블 위에서 네온사인처럼 깜
빡거릴 뿐이었다.

지혜로운 사회생활

백발전용카페 백수전용카페

아침운동을 마치고 집으로 들어오는 나에게 아내가 무슨 큰일이라도 난 것처럼 호들갑을 떨었다.

여보, 오늘 우리 가볼 데가 있어.

멀리서 들려오던 목소리에 가슴이 철렁 내려앉았지만 막상 표정을 대하고 보니 밝게 웃는 모습이 나쁜 일은 아닌 듯 보였다. 난 가슴을 쓸어내리며 아내 쪽을 향해 눈과 귀를 모았다. 아내의 입에서는 예상 밖의 말이 툭 튀어나왔다.

저기 전통시장 입구에 중국집 있잖아? 아, 글쎄 얼마 전에 문을 닫고 인테리어 공사를 하더니 그곳에 카페가 새로 들어섰대. 조금 있다가 거기 한 번 가보자. 커피 값도 1,500원이라니 얼마나 좋아?

요즘 같은 불경기에 상가의 업종이 바뀌는 것쯤이야 흔한 일인데다, 유동인구가 좀 있다하는 곳이면 세 집 건너 한 집이 카페라는 걸 모르는 사람이 없는 마당에 그게 뭐 큰 뉴스거리는 아니었다. 하지만 하루에 커피 한잔이 식생활만큼이나 습관화 되어있었을 뿐 아니라 동네 주변의 온갖 카페를 누비고 다니며 마셔대던 우리에게는 조금 달랐다. 더군다나 그 장소가 거의 매일 시계추처럼 오가는 전통시장 근처라니. 아내의 말에는 앞으로 그 카페를 단골로 삼음으로써 커피비용의 절감은 물론 더 이상의 무익한 카페방황을 종식시키려는 의도가 다분히 숨겨져 있었다.

 늘 그렇듯 낯설음은 호기심을 유발해 새로움과 신선함을 안겨주기 마련이다. 카페의 노란색 건물외관과 하얀색 인테리어는 깔끔한 인상을 주었고 널따란 내부는 편안한 느낌을 주었다. 앞면은 전체가 유리로 되어있어 바깥풍경이 훤히 내다보였고 벽 쪽으로는 좌석마다 전원을 사용할 수 있는 콘센트까지 설치되어있었다. 또 한쪽구석에 설치된 화장실은 볼일을 보기 위해 바깥으로 나가는 수고를 덜어줄 뿐 아니라 세면기며 거울 같은 것도 고급스러워 호텔을 방불케 했다. 입구에는 키오스크가 설치되어 굳이 종업원과 대면하지 않고도 음료를 주문할 수가 있었고 그것에 익숙하지 않은 어르신들을 위해 별도의 주문코너도 있었다. 노트북이나 태블릿을 사용하고 책을 읽기도 하면서 한 번 오면 두세 시간씩 시간을 보내다 가는 우리에게 그보다 더 좋은 환경이 있을 수 없었다. 거기다 아내의 말처럼 커피 값은 다른 카페의 3분의 1 수준인 1,500원이었고 빵이며 디저트의 가격도 상상을 초월할 정도로 쌌다.

 카페를 찾는 우리들의 발걸음은 잦아졌다. 입소문을 탄 탓인지 우리말고도 카페의 손님 수는 기하급수적으로 늘어났다. 장바구니를 든 채 들르는 아줌마 부대가 있나 하면 산악자전거복장으로 자전거와 함께 온 동호회원들도 있었다. 돋보기안경에 주름 가득한 얼굴로 함께 모여 마음껏 수다를 떠는 할머니 무리들은 물론 입구에서 전동 스쿠터를 주차시키는 할아버지도 보였다. 대부분이 백발이 성성한 중년 이상 노인들이었지만 드문드문 취업준비를 하는 듯한 젊은이도 끼어있었다. 그걸 보면서 우리끼리는 카페의 이름을 백(白)다방이라 불렀다. 스타벅스를 별다방으로, 엔제리너스를 천사다방으로, 투썸플레이스를 쌍다방으로 칭했던 것처럼 백발전용카페 겸 백수전용카페라는 의미로.

그로부터 한 달쯤 지난 뒤였다. 근처의 사거리 모퉁이에 또 하나의 카페가 생겼다. 유명 프랜차이즈였다. 그곳도 백다방과 똑같이 1,500원이라는 싼 커피 값을 내걸며 영업을 개시했다. 도시의 인구가 갑자기 늘 리 없고 커피를 마시는 수요자가 급격히 늘 리 없는 상황에서 공급자가 두 배로 늘었으니 백다방의 매출이 줄어드는 건 당연했다. 시끌벅적하던 실내가 조금씩 조용해지는가 싶더니 드문드문 빈자리가 보이는 날이 늘어갔다. 그럼에도 백다방은 선전했다. 건너편의 가게에 비해 커피 이외 매출품목의 가짓수가 월등히 많은 까닭이었다. 새로운 카페라는 관점에서 우리 또한 단골을 바꾸려는 시도를 할 수도 있었다. 그러나 그러지 않았던 건 처음 맺은 인연이라는 의리감에서가 아니라 그곳에 비해 넓은 실내공간을 자랑하는 백다방이 주는 편안함 때문이었다. 뿐만 아니라 책을 읽고 글쓰기를 일삼는 나에게는 손님이 줄어든 백다방이 오히려 더 나은 환경이기도 했다.

두 카페의 경쟁은 그럭저럭 소강상태를 유지하는 듯했다. 카페사회에도 물리학의 법칙이 작용했다. 그 어떤 체제든 안정적인 상태가 되면 엔트로피는 증가하기 마련이다. 균열은 근처에서 이미 영업 중이던 또 다른 카페로부터 생겨났다. 그곳의 커피 값은 4,000원이었지만 어느 날 불쑥 그 가게 앞에는 50퍼센트 할인이라는 플래카드가 걸렸다. 브랜드 인지도를 감안하면 파격적인 제안이 아닐 수 없었다. 증가한 엔트로피가 지각변동을 예고했다.

백다방은 일부 고객을 또 내주어야했다. 그러면서 조금씩 위기감이 커져갔다. 그건 그들의 위기감이기도 했지만 우리의 위기감이기도 했다. 이런 상황이 계속 이어지다가는 모처럼 찾은 좋은 생활공간을 잃을 공산이 컸다. 아무리 이 세상에 존재하는 모든 것이 생성, 발전, 성숙, 퇴화의 수순을 피할 수 없다지만 백다방의 퇴화만은 늦춰졌으면 하는 심정이었다. 지속성장가능하지는 않더라도 지속가능만이라도 해주었으면 바랐다.

어느새 백다방에 도착하기만 하면 손님 수를 세어보는 것이 버릇처럼 되었다. 빈자리가 늘어나 있으면 괜히 백(白)이라는 이름을 붙였다는 자책이 일었다. 흰색이라는 말에는 비었다는 공백의 의미도 포함되어있기 때문이었다. 다소 우울해진 마음으로 키오스크 앞에 서서 주문을 할 때였다. 여느 때처럼 따뜻한 아메리카노를 두 잔 주문했다. 결제화면으로 이동하려는데 갑자기 아내가 나를 멈춰 세웠다. 오늘은 크림빵도 먹고 싶어.

크림과 단팥이 가득 든 그 크림빵은 백다방의 인기메뉴 중 하나였다. 난 아내의 의도를 즉각 알아차렸다. 화면 속에서 크림빵을 누른 내 손이 그 옆에 있는 샐러드 빵까지 눌렀다. 고객수를 늘리는 것 말고도 매출을 올리는 방법은 또 있었다. 주문서를 키오스크에서 빼들며 난 아내에게 말했다.

 여보, 우리 이제부터는 더 자주 이곳에 오자. 아니 내일부터는 아예 매일 이리로 출퇴근할까?

진보와 보수, 어느 쪽을 선택할 것인가?

요즘 서울의 광화문 근처는 연일 시위를 하는 사람들로 몸살을 앓는다. 그들 대부분이 정치적인 이슈를 쟁점으로 들고 나온다. 한쪽에서 국정의 방향이 잘못되었다고 정부를 비방하는 집회가 열리는가 하면 또 다른 한 쪽에서는 국정의 발목을 잡지 말라며 정부에 힘을 실어주려는 집회가 열린다. 그들은 제각각 자기의 주장이 옳다며 열변을 토하는 걸 넘어서 마이크의 볼륨을 최대치까지 끌어올린다. 정작 행인들은 거기에 별 관심도 없는데 그들의 소리는 가청 데시벨을 넘어 불특정 다수를 난청에 이르게까지 만든다.

그들은 자신들의 정치적 성향을 진보와 보수라는 말로 표시한다. 반면 서로가 상대를 일컬을 때는 그 단어가 백팔십도로 바뀐다. 한쪽에서는 다른 쪽을 꼴통이라 비하하고 반대쪽에서는 좌빨이라 누명을 씌운다. 거기에 정당성을 부여하기 위해 나름 근거까지 들먹이긴 하지만 그것이 억지라는 걸 모르는 사람은 없다. 서로를 향한 선정적인 비방은 거기서 끝나지 않는다. 친일 친북이라는 매국노 프레임까지도 서슴지 않는다. 과연 그들이 진정한 진보와 보수의 의미를 알고나 있는지 의심이 들 지경이다.

각 세력의 대표라는 두 사람이 나와 토론하는 방송을 본 적이 있다. 그때 사회자가 두 가지 이념의 차이가 무엇이라고 생각하는지를 물었다. 둘 모두 한 치의 오류도 없는 교과서적인 답변을 내놓았다. 민주주의의 기본이념이라 할 수 있는 자유와 평등 두 가지 중에서 어느 쪽을 우위에 두느냐에 따라 차이가 있다는 말이었다. 평등을 우선하면 진보, 자유를 우선하면 보수라고. 누군가는 운동과 관성이라는 개념을 도입해 비유하기도 했다. 그 말을 들으면서 난 원래 정치가들이 죽어서도 입만큼은 썩지 않는다더니 과연 그렇구나 생각했다. 왜냐면 그들이 내세우는 정책 가운데는 그것과 전혀 반대의 것들도 수두룩하기 때문이다. 일일이 거론할 수는 없지만 양대 세력 모두 선거철만 되면 자신들의 정체성과는 정반대의 선심성 공약을 수도 없이 남발해온 것쯤이야 삼척동자도 다 아는 일이다.

그렇다고 해서 그들이 기본적으로 추구하고 있는 이념이 바꿈과 지킴이라는 사실을 전적으로 부정하거나 의심하지는 않는다. 자유와 평등 중 어느 쪽을 우위개념으로 두고 있느냐를 두고 잘못되었다고 반박할 의도도 없다. 색깔로 나타낸다면 진보는 하양이고 보수는 까망이다. 하양은 어떤 색이든 덧칠할 수 있어 변화가 가능하다는 의미에서, 까망은 어떤 색으로 덧칠해도 변하지 않는다는 의미에서 그렇다. 두 가지 색은 확연하게 대비가 된다. 그런가 하면 정치인들이 표방하는 색깔은 진보든 보수든 망라하고 모두가 회색이다. 그것도 모자라 그 회색은 진하고 옅은 정도조차 구분하기 힘들 지경이다. 그저 자기 것은 올바른 회색이고 남의 것은 틀린 회색일 뿐이다. 하양도 까망도 다 제 편으로 끌어들이려는 얄팍한 술수에만 눈이 멀어 있다.

그걸 합리화시키기 위해 그들은 새로운 단어를 만들어내기까지 한다. 중도라는 낱말을 도입해 그것이 마치 양쪽 모두를 만족시키는 최고의 대안인 양 떠벌이기까지 한다. 그럼 둘 사이에 무슨 차이가 있냐고 비아냥대는 소리가 들리자 이번에는 또 새로운 말을 지어낸다. 중도진보, 중도보수라는 말들이 그것이다. 세월이 더 흐르면 중도 몇 제곱 진보, 중도 몇 제곱 보수라는 단어가 생길지도 모른다. 페인트의 색상을 구별하는 세계표준 중에 먼셀넘버라는 것이 있다. 정치인들에게도 그들이 간직한 회색의 진하고 흐림에 그와 같은 넘버가 부여될 세상이 머지않은 것 같아 쓸쓸할 따름이다.

세상에 절대 선(絶對 善)이란 없다. 자유와 평등도, 바꿈과 지킴도 둘 중 어떤 것이 우위에 있느냐를 판단하기란 사실 쉽지 않다. 인간이라는 동물 자체가 하나하나는 개인이지만 사회라는 집단을 이루어 살아갈 수밖에 없는 존재다 보니 어쩔 수 없는 것이다. 또 고인 물은 썩기 마련이지만 물을 유용하게 이용하기 위해서는 흐르는 물을 가둬두고 지키기도 해야 한다. 하지만 정답이 없는 질문에도 해답은 존재하는 법이다. 진보와 보수라는 선택지 역시 다르지 않다. 진보와 보수라는 명분에 매몰되어 한쪽을 고집할 것이 아니라 시기와 상황에 따라 유연하게 선택하면 된다. 정당 또한 진보와 보수라는 이념을 절대강령처럼 취급하지 말아야한다. 정당과 정치인들은 자기가 옳다고 생각하는 바를 정책으로 내세우면 되는 일이고 그들을 뽑는 시민들은 자기가 옳다고 생각하는 쪽에 표를 던지면 된다. 그리고 결과에 깨끗이 승복하면 끝이다.

 문제는 많은 사람들로부터 지지를 받지 못하더라도 자기가 가진 정치적 신념만은 끝까지 관철시키려는 욕심에서 비롯된다. 이런 경우 대부분은 비뚤어진 마음에서부터 출발한다. 절대다수가 지지할 거라는 자신감이 있다면 굳이 욕심을 부릴 이유가 없기 때문이다. 자신의 소신으로 남을 설득해 승리할 수 있다면 그리 하면 될 일이다. 결과가 불투명하다보니 은근히 회색빛을 내세우며 이쪽저쪽을 오가는 것이다. 그런 상황이니 져도 승복할 리 만무하다. 편법이 편법을 조장하고 악순환이 되풀이될 수밖에 없다.

 이런 문제를 해결하기 위해서는 매듭을 묶은 자가 나서야한다. 모든 책임은 우리에게 있다. 어떤 연유에서든 우리가 그런 정치인들을 선택했기 때문이다. 이제부터는 달라져야 한다. 진보냐 보수냐를 떠나 때에 따라 자신의 입장을 시시각각으로 바꾸는 흐리멍덩한 기회주의자만은 선택하지 말아야한다. 설령 진보와 보수의 경계에 있는 사람이어도 좋다. 소신이 확고해 자신이 서있는 위치를 명확하게 한다면 그곳이 어느 쪽에 치우쳐있든 상관없다. 회색이어도 명도와 채도, 색상이 확실하다면 그 역시 선택받아 마땅하다. 모든 것을 진보와 보수로 나누려는 이분법적 사고도, 나 아니면 적이라는 흑백논리도, 그 사이에서 교묘하게 줄타기를 하는 광대들도 더 이상 매스컴에서 보는 일이 없었으면 한다. 그것이야말로 우리들이 반드시 이뤄내야 할 지상최대의 과제다.

무지하신 어르신을 대하는 무식한 젊은이와 우리들

 보행자신호에 붉은 빛이 선명했다. 난 횡단보도 앞에 멈춰 섰다. 그 때 갑자기 빵 하고 짧고도 강렬한 클랙슨이 울렸다. 신호를 기다리 던 사람들의 시선이 일제히 그곳으로 향했다. 소리의 근원지는 번쩍 거리는 검은색 벤츠였다. 벤츠는 제일 우측차로에서 노란색 우회전 램프를 깜빡거렸다. 그 앞 모퉁이에는 폐지가 가득 담긴 손수레가 횡단보도와 인도를 반씩 물고 멈춰서있었다. 클랙슨은 벤츠가 우회 전을 방해받자 행한 일종의 항의였다.

 손수레의 주인은 보이지 않았다. 또 벤츠에서 클랙슨이 울었다. 빵 빵. 이번에는 스타카토였다. 몇 초간의 시간이 흘렀지만 상황에 변 화는 일어나지 않았다. 벤츠는 신경질적으로 변해갔다. 빠~~~~ 앙. 길어진 소리는 신호대기중인 사람들의 인상을 찌푸리게 만들었 다. 그보다 훨씬 인상을 구긴 젊은 사내 하나가 벤츠에서 튀어나왔 다. 그는 주변을 둘러보며 침을 찍 뱉고는 다짜고짜 고함부터 내질렸다. 대체 어디 간 거야? 여기 손수레 주인 없어요?

저쪽 상가에서 누추한 차림의 노인 하나가 허리춤을 추스르며 이쪽을 향해 바쁜 걸음을 옮겼다. 꾸부정한 허리에 관절염을 앓는지 절룩거리는 그의 입에서 가쁜 숨과 함께 목소리가 새어나왔다. 갑니다, 가요. 그쪽으로 눈을 돌린 젊은이가 기가 차다는 듯 헛웃음을 흘렸다. 아니, 무식하게시리 차가 못 다니게 길을 막으면 어떡해요? 죄송합니다. 화장실이 급해서 그만……. 노인은 급히 손수레를 인도 위로 끌어올리려 안간힘을 썼다. 도로와 인도 사이의 높은 턱은 강력히 저항했다. 그 과정에서 폐지들이 흘러내렸다. 멀거니 쳐다보던 젊은이가 또 한 번 화를 냈다. 뭐해요? 빨리 하지 않고. 몇 푼이나 번다고 이런 걸 끌고 나와서는……. 보행신호등에 초록빛이 들어왔다. 주변에 서있던 사람들이 하나같이 횡단보도를 건너 제 갈 길을 갔다. 나 역시 마찬가지였다. 신호를 다 건넌 지점에서 돌아보니 벤츠의 뒤꽁무니가 크기를 줄였고, 겨우 폐지를 수습하고 손수레를 인도로 끌어올린 노인이 허리를 펴며 한숨을 길게 내쉬고 있었다.

길을 걷는데 젊은이가 뱉어냈던 무식이라는 단어가 머릿속을 어지럽혔다. 그건 노인을 엄청나게 비하하는 발언이었다. 노인은 그런 말을 들어야 할 정도로 정말 무식한 사람일까? 그렇다면 젊은이는 그런 말을 함부로 써도 될 정도로 유식한 사람일까? 주변에서 상황을 그저 관망만 하던 많은 사람들과 나는 어떨까? 꼬리에 꼬리를 물면서 이어지던 생각은 마침내 무지라는 유사한 뜻의 단어에까지 도달했다.

둘 사이에는 사전적 의미를 떠나 뉘앙스 상에 미묘한 차이가 있었다. 난 그 차이를 나름 분석해 정의했다. 무지는 배운 적이 없는 탓에 모르는 것이고, 무식은 배운 적이 있거나 알 만한 위치에 있음에도 모르는 것이라고. 말하자면 무지는 선의의 의미가 강하지만 무식은 악의적인 의미가 들어있다는 것이다. 존칭어를 붙여보니 크게 틀린 것 같지 않았다. 무식하신 어르신에 비해 무지하신 어르신은 어색하지 않고, 무지한 놈보다는 무식한 놈이 더 어울린다. 또 낮잡아 부르는 정도도 무지렁이에 비해 무식쟁이가 훨씬 더하게 느껴진다.

　오늘 노인이 손수레로 차도를 막은 건 분명히 잘못된 행동이다. 하지만 남에게 해를 끼치려는 의도에서 비롯된 것이 아니라 그저 용변을 시급히 해결하려 한 것뿐이다. 그의 행색이나 처지로 볼 때 그것이 범법행위임을 인지했을 가능성은 희박하며 도로교통법이라는 법의 내용도 알지 못할 게 뻔하다. 그렇다면 오늘의 노인은 젊은이의 말처럼 무식한 사람이 아니라 무지한 사람인 셈이다. 그런 노인이 많은 사람들이 보는 앞에서 새파랗게 젊은 친구로부터 수모를 당하는 것이 과연 온당한 일일까?

　무식한 쪽은 오히려 젊은이였다. 없어 보이는 노인에게 드잡이 식으로 함부로 말한 것도 그렇고 다중이 모인 장소에서 여러 차례 경적을 반복해 울린 것도 그렇다. 그 모든 상황을 방관하는 자세로 일관한 우리들은 더 무식한 사람들이었다. 흘러내린 폐지로 어쩔 줄 몰라 하는 노인을 도울 생각도 하지 않았을 뿐 아니라 괜히 남의 일에 끼어들어 곤욕을 치르지나 않을까 노심초사하며 불쌍한 노인을 외면했으니 말이다. 노인이 무지렁이라면 젊은이와 우리는 무식쟁이들이고, 노인이 무지하신 어르신이라면 젊은이와 우리는 무식한 놈들이다. 정작 비난받아야 할 사람은 노인이 아니라 젊은이였고 그 자리에 있었던 우리들이다. 무식은 비난의 대상이지만 무지는 동정의 대상일 따름이다.

학교폭력, 세 박자의 야합멜로디

  드라마시청은 독서만큼이나 내가 즐기는 취미생활이다. 그 중에서도 리얼리티가 살아있는 작품들을 좋아한다. 현실감이 짙을수록 작품 속으로 쉽게 녹아들어 공감할 수 있기 때문이다. 상황의 공감은 다방면으로 생각하는 힘을 키워준다. 그러면서 나만의 목소리를 만드는데 일조하고 고스란히 내 글의 좋은 모티프가 된다. 난 그렇게 드라마를 글감의 화수분으로 활용한다.

  최근 들어 이런저런 이유로 드라마와 소원해졌다. 그 관계를 복원시켜보려는 욕심에 퇴근하고 돌아온 딸애를 끌어들였다. 요즘 어떤 드라마가 인기를 끄는지를 물었다. 딸애의 대답은 거의 무조건반사에 가까웠다. '더 글로리' 봐. 아빠가 딱 좋아할 스토리야. 읽을 만한 책을 추천해달라고 할 때도, 볼만한 영화를 추천해달라고 할 때도 결코 나를 실망시킨 적이 없던 아이였기에 난 더 이상의 대화를 삼간 채 제목을 몇 번이고 마음속으로 되뇌었다.

그로부터 며칠을 난 연진의 악랄함에 치를 떨고 동은의 복수심에 통쾌해하며 보냈다. 때마침 한 공직후보자의 자녀가 학창시절 학교폭력 가해자였다는 사실이 매스컴을 통해 흘러나왔다. 뿐만 아니라 그 사건을 축소 은폐하기 위해 후보자가 다방면으로 개입했다는 정황도 드러났다. 학교폭력문제가 비단 어제오늘의 일만은 아니건만 드라마 탓에 난 훨씬 더 분노했다. 또 다른 동은이 어디선가 나타나 처절하리만치 복수해주는 환상에 사로잡히기도 했다. 그건 남의 일이 아닌 내 가족의 문제일 수 있다는 공감에서 비롯되는 행위였다.

누구나가 자신에게는 관대한 법이다. 때문에 우리는 늘 자신이 악인이 아니라 선한 사람이라는 생각을 갖는다. 자신만은 절대 연진과 관련이 없으며 동은의 편이라 확신한다. 불행히도 그건 사실과 다르다. 학교폭력의 원인이 어디에 있는지를 냉철하게 살펴보면 그 사실은 명확해진다. 학교폭력은 세 박자의 야합 멜로디다. 가정과 사회의 경쟁심, 학생의 이기심, 학교의 무관심이 바로 그 야합의 주체다. 여기에 이견을 표시하는 사람이 있을까? 또 우리나라 사람치고 그 세 가지 속에 포함되지 않는 사람이 몇 명이나 될까? 그렇다면 우리 중 그 누구도 연진이라는 이름으로부터 자유로울 수는 없는 셈이다.

인간은 사회적동물이다. 가정도 마찬가지지만 일단 어디든 나서면 누군가와 대면을 하고 살아야한다. 이 과정에서 자연적으로 경쟁이 발생한다. 욕망이라는 본능을 가졌기에 피할 수 없는 일이다. 문제는 날이 갈수록 우리나라에서는 그 정도가 과도해진다는 점이다. 자본주의 체제하에서 어쩔 수 없는 일이지 않느냐 항변하는 사람들도 있지만 그건 사회적 책임을 피하려는 교묘한 평계일 뿐이다. 그런 문제를 개선하기 위해 우리는 지도자들을 뽑는다. 그러나 선택된 지도자들은 기득권을 유지하기 위해 더욱 경쟁을 부추긴다. 세상은 우수 집단중심으로 재편된다. 덩달아 가정에서도 자식들을 그 집단에 포함시키려 경쟁만을 강조한다. 경각심을 일깨우기 위해 경쟁에서 지면 이 세상에서 살아갈 수 없을 것처럼 세뇌시키기까지 한다. 경쟁력을 키우기 위해 부모가 직접 나서기도 하고 끼리끼리 그룹을 만드는 일도 불사하면서 수단과 방법을 가리지 말라는 암시도 숨기지 않는다. 그 사이에 아이들은 점점 이기적이 되어간다. 그들의 교과서에는 역지사지(易地思之), 측은지심(惻隱之心), 인지상정(人之常情) 같은 말들을 찾아보기가 힘들고 유아독존(唯我獨尊), 아전인수(我田引水), 독불장군(獨不將軍) 같은 말들만 가득하다. 그들에게 경쟁의 목적은 무언가를 얻기 위함이 아니라 남의 것을 뺏기 위함일 따름이다. 여기서 폭력은 싹이 튼다.

학교폭력은 학생들 간에만 이루어지는 것이 아니다. 교사를 향한 학생들의 폭력도 무시할 수 없다. 공교육이 송두리째 무너지고 학원 중심으로 입시준비가 이루어지다보니 어느 순간 교사에 대한 신뢰는 무너져 내렸다. 선생이 선생 같아 보이지 않으니 학부모와 학생들로부터 속된 말로 개무시를 당하는 건 너무나 당연하다. 담탱이나 꼰대로 지칭하거나 별명을 예사롭게 부르는 건 말할 것도 없고 꾸중을 참지 못하고 대드는 아이가 있나 하면 심지어 여교사에게 성적수치심을 안겨주는 언어폭력을 자행하는 놈들도 있다. 그뿐이 아니다. 거기에 보조를 맞추며 시도 때도 없이 학교를 들락거리면서 자식을 옹호하려드는 학부모들의 성화 역시 교사를 위축되게 한다. 반면 교사들이 학생들에게 폭력을 행사하는 때도 있다. 물리적인 폭력을 행사하는 경우야 드물지만 감정을 자제하지 못한 상태에서 욕설을 한다거나 부적절한 행동으로 구설에 오르는 경우가 종종 있다. 이 모든 것들이 교권추락의 일등공신들이다. 무너진 교권은 교사들로 하여금 학생들 간 벌어지는 폭력에 눈감고 귀 막을 수밖에 없게 만든다.

학교폭력이 이루어진 후 수습하는 과정에도 문제가 많다. 이번 공직후보자의 경우도 그렇지만 이런 사태가 벌어질 때마다 가해학생에 대한 처벌수위가 과연 합당한지 그리고 그 절차가 투명한지에 대해서는 오가는 말들이 많다. 그만큼 의문이 크다는 뜻이다. 그 어떤 재판도 승자와 패자가 모두 수긍하지 않는다면 정당성을 상실하기 마련이다. 정당성이 사라지는 순간 처벌은 하등 의미가 없어지고 문제의 재발방지는 요원해진다. 또 피해학생에 대한 구제도 소홀히 해서는 안 된다. 흔히 신체적 정신적 피해를 치유하는 것으로 모든 보상이 끝났다고 생각하기 쉽다. 어느 수준까지를 정신적 피해로 간주할 것인가를 두고도 갑론을박이 벌어지겠지만 그건 차치하더라도 그들이 겪는 인격적 피해는 훨씬 더 크다. '더 글로리'에서 보듯이 피해자는 평생을 모멸감 속에서 살아간다. 이를 해결하지 않는 한 피해자들은 두려움 속에서 떨며 피해사실 밝히기를 꺼릴 게 틀림없다.

따라서 학교폭력을 근절하기 위해서는 가정과 사회, 학교, 학생 모두가 바뀌어야 한다. 우선 지도자들은 경쟁을 위주로 하되 경쟁이 전부가 되는 사회를 지양할 수 있는 시스템을 갖추어야한다. 그런가

하면 정부와 국회는 교권을 수호할 수 있는 권한을 학교와 교사들에게 제공하고, 교사들은 흔쾌히 권한에 맞는 자질평가를 수용함으로써 자신들의 능력을 입증해야한다. 권한에는 반드시 책임이 따르는 법이다. 또 일벌백계의 효과가 확실하도록 단호하면서도 강력한 처벌규정과 피해자에 대한 구제방안이 명확한 법안에 대한 입법도 서둘러야 한다. 이 모든 사항들은 국민적 합의 하에 진행되어야 할 것이다. 그걸 이루어내기 위해 우리는 내 자식, 우리 가족들만 옹호하려는 생각을 버려야한다. 사회적 지위를 이용해 편법을 동원하거나 부적절한 여론을 형성하려해서도 안 된다. 정정당당한 절차 속에서 깨끗이 결과에 승복해야한다.

 학교폭력문제는 어느새 임계점에 이르러 방치할 수 없는 수준에 도달해있다. 우리는 이 사실을 간과해서도 안 되며 외면해서도 안 된다. 정부는 정부대로 국회는 국회대로 또 우리 국민들은 국민들대로 각자의 자리에서 하루라도 빨리 문제를 해결하려는 의지를 보여야 한다. 이제 더는 동은과 연진 같은 학생들을 만나지 않았으면 한다. 비록 재미있는 드라마 속에서라 할지라도.

혼자도, 늙어도, 할 수 있다. 해외 자유여행 즐기기

　나는 여행을 좋아한다. 그것도 하늘을 날아 낯선 세계를 접할 수 있는 해외여행을 좋아한다. 절약을 인생의 목표로 삼아 생활해온 것도 그 때문이다. 혹자는 이 말을 다소 의아하게 받아들일지 모른다. 원래 해외여행이란 게 비행기 삯이며 호텔비 등을 포함해 그 비용이 만만찮기 마련이어서 절약이라는 단어와는 도무지 어울리지 않을 테니까. 하지만 의식주에 들어가는 비용을 아끼고 모아서 해외여행의 경비로 삼는다면 어느 정도 이해되지 않을까?

　여행은 대부분 자유여행 형태로 이루어진다. 패키지여행이 관광의 측면에서 훨씬 알차고 편하다는 것을 몰라서가 아니다. 다만 내가 추구하는 여행의 목적 자체가 다른 까닭이다. 주변으로부터 벗어나 다른 환경에서 삶을 되돌아보고자 함이 여행의 큰 목적인데 여러 팀이 우르르 몰려다니게 되면 그럴 여유가 없어진다. 자유여행은 비용의 측면에서도 유리하다. 간혹 여행사에서 땡처리 상품을 들먹이며 최저가니 특가니 운운하지만 따지고 보면 애보다 배꼽이 더 큰 경우가 많다. 거기에는 선택관광이라는 함정이 도사리고 있다. 이른바 원하는 사람만 선택해서 하는 관광이라는 의미지만 막상 여행을 하다보면 이를 선택하지 않으면 안 되는 상황에 놓이게 된다. 다른 사람이 관광하는 동안 그걸 선택하지 않은 사람은 일정한 장소에서 대기해야한다면 과연 선택하지 않을 사람이 몇이나 될까? 또 가격이 싸면 그걸 보전하기 위해 연계된 쇼핑센터를 강제로 방문시키기도 한다. 더러 쇼핑을 즐기는 사람들에게는 그 또한 도움이 되는 바 없지 않겠지만 나에게는 그것도 시간낭비에 불과할 따름이다.

문제는 낯선 환경 속에서 어떻게 소통하며 원하는 바를 이루어낼 것인가 하는 점이다. 물론 영어를 능숙하게 한다면 단박에 해결된다. 하지만 불행하게도 나의 영어실력은 10년이 넘는 교육과정을 거쳤음에도 거의 젬병수준이다. 사실 이 때문에 처음 여행을 할 때는 엄청나게 힘들었다. 그럼에도 무사히 여행을 다닐 수 있었을 뿐 아니라 이제는 상당한 자신감까지 가질 수 있게 된 건 철저한 사전준비의 힘이다.

나에게는 여행을 하는 기간보다 준비하는 기간이 훨씬 긴 게 일반적이다. 일주일 여행을 위해 한 달 가까이 준비할 때도 있지만 그걸 절대로 쓸데없다 생각하거나 아까워하지 않는다. 왜냐면 그 기간 동안 내가 누리는 행복감이란 여행할 때의 기쁨 못지않게 이루 말로 표현할 수 없을 정도로 크기 때문이다. 이는 내 여행기간이 그만큼 늘어남을 의미하는 바에 다름 아니다. 아울러 준비가 완벽하면 할수록 여행의 질도 높아지기 마련이어서 그야말로 일거양득이 아닐 수 없다.

여행할 나라가 정해지면 가장 먼저 방문할 지역을 선정하고 어떤 경로로 움직일 것인가를 결정한다. 예를 들어 내가 동유럽여행을 비엔나, 프라하, 잘츠부르크, 부다페스트를 거쳐 다시 비엔나로 돌아오는 코스로 여행했던 것처럼. 이동하는 방법도 이때 함께 결정하게 되는데 소요시간이 네댓 시간 이하면 주로 기차를 선호하는 편이다. 비행기는 공항까지 오가는 시간과 대기시간 등을 감안하면 그다지 큰 메리트가 없고, 버스터미널보다는 역을 이용하는 것이 편리할 뿐아니라 화장실과 같은 편의시설을 이용하기도 그 편이 훨씬 수월하다.

지역과 경로가 결정되면 다음은 각 지역별로 돌아볼 관광지를 찾아 구글맵에 위치 저장을 한다. 프라하라면 카를교, 스트라호프수도원, 프라하성과 같은 장소가 여기에 해당한다. 그 후 지도를 참고하여 가장 효율적인 동선으로 여정을 구성하고 도보, 트램, 메트로 같은 이동방법과 함께 소요시간도 파악해둔다. 관광지마다 휴무일과 오픈시간, 입장료를 확인하는 것도 빠뜨리지 않는다. 어렵사리 찾은 관광지가 휴무라든가 시간이 지났다는 이유로 입장을 거부당할 때만큼 당혹스러운 일은 없다. 일일이 그걸 어떻게 다 확인하느냐 걱정할 필요는 없다. 구글맵을 잘 이용하면 이 모든 작업이 간단히 해결된다. 인터넷검색으로 맛집과 쇼핑장소를 찾는 일도 소홀히 해서는 안 된다. 여행의 반은 식도락과 쇼핑이다. 유명한 맛집, 쇼핑몰이나 마트의 위치 역시 지도에 저장하여 이동 동선에 포함시킨다. 그게 다 끝나면 이번에는 해당지역에서 사용가능한 교통패스나 뮤지

엄패스가 있는지 찾아본다. 이것들을 잘 활용하면 상당한 여행경비 절감이 가능하다. 이런 일련의 과정이 정리되면 자연적으로 그 도시에 머물러야 하는 날수가 계산되는데 그럼 그걸 바탕으로 호텔 예약을 시작한다.

요즘은 워낙 앱이 많아 호텔예약도 어렵지 않다. 예약 시에 무엇보다 우선 고려해야 할 사항은 금액과 위치다. 특히 위치는 여행에 있어 굉장히 중요한데 난 기차역과 가까운 곳을 좋아한다. 한 곳만 머무른다면 모르지만 여러 곳을 이동한다면 그것만큼 이동하기 편리한 게 없다. 아울러 역 주변은 보통 마트나 식당 등이 많아 끼니를 해결하는데도 많은 도움을 준다. 취소시 환불조건과 현지에서 지불해야하는 세금, 조식포함여부, 하우스키핑여부 등도 따져봐야 한다. 호텔비가 싸다고 예약을 했는데 부가비용이 늘면서 예상외로 비싸졌던 경험을 한 적도 있다. 구글맵의 스트리트뷰 기능을 이용해 호텔주변을 미리 탐색해두는 것도 중요하다. 그것만으로도 혹시 위험지역은 아닌지, 호텔건물이 어떤 상황인지 알 수가 있다.

마지막으로 남은 것은 대중교통을 어떻게 이용하는가이다. 그 중에서도 가장 중요한 것은 첫날 공항에서 호텔까지 이동하는 방법이다. 누구나가 처음 비행기에서 내려 공항을 나서려면 모든 것이 낯설어 멘붕상태에 빠지기 쉽다. 물론 시간이 지나면서 어찌어찌 다 해결되는 법이지만 그 순간만은 정말 어찌할 바를 몰라 갈팡질팡하기 쉽다. 이때를 대비해서 공항버스나 공항열차의 매표방법과 승차위치를 미리 숙지해두어야 한다. 찾아보면 잘 알겠지만 친절하게도 이런 부분을 자세히 알려주는 유튜버들이 많다. 그들의 동영상은 많은 도움을 준다. 도심 내를 오가는 교통편에 대해서도 마찬가지다.

 이 정도만 준비하면 여행을 하는 기간 내내 큰 어려움은 없을 것이다. 난 매번 이런 방법으로 여행을 즐긴다. 세상에 경험만큼 확실한 배움은 없다. 누구나 그렇게 경험이 쌓이면 해외로 나가는 일이 전혀 부담스럽지 않게 된다. 벌써 이순을 넘은 내가, 영어를 제대로 할 줄도 모르면서, 혼자든 아내와 함께든, 세상 어디라도 선뜻 해외여행을 나설 수 있게 된 건 그런 배경에서다. 지금 이 순간에도 어딘가로 떠나고 싶지만 막연한 두려움으로 망설이고 있는 사람에게 꼭 알려주고 싶다. 일단 꼼꼼하고 충실하게 준비부터 해보라. 그 과정 중에 분명 자신감이 생길 것이다. 그러면 선뜻 도전에 임할 수 있을 게 틀림없다.

말의 힘과 그에 따른 책임

　얼마 전에 건강검진센터에서 문자가 왔다. 올해 검진대상자이니 적당한 시기에 검진을 받으라는 내용이었다. 그러고 보니 검진을 받은 게 어느새 2년이 지나있었다. 내가 지독하게 싫어하는 일 중 하나가 하얀 가운을 입은 의사와 마주하는 일인지라 검진 또한 피하고만 싶은 일이었지만 난 어렵사리 그 상황을 받아들이기로 마음먹었다. 인생이라는 긴 여정 가운데 가장 중요한 일이 건강이라는 점에 조금의 이견도 없었을 뿐 아니라, 그것의 가장 큰 적인 병이라는 놈은 아무런 예고도 없이 불쑥 찾아온다는 사실을 잘 알고 있었기 때문이었다. 설령 놈이 침투해왔다 하더라도 조기에 그걸 발견한다면 퇴치할 가능성이 높았기에 검진이라는 경계병의 역할을 중요시 여기지 않을 수 없기도 했다.

　검진날짜를 예약하기 위해 전화를 걸었다. 상담원은 친절하게 응대해주었다. 위내시경과 대장내시경이 검진항목에 추가되었고 거기에 맞춰 검진날짜가 잡혔다. 내시경 사전준비를 위해 미리 약물을 수령해야한다는 안내가 이어졌고 검사에 부적합한 사항이 없는지 사전 문답이 이루어졌다. 순조롭게 진행되던 과정이 멈춰선 건 평소 수면무호흡증세가 있는지 질문한 단계에서였다. 순간 그 증세가 코 골이와 깊은 상관관계가 있다던 어떤 의사의 말이 떠올랐다. 아울러 언젠가 나를 향해 내뱉던 아내의 불만도 기억났다. 술을 얼마나 마 셨기에 간밤에 코골이가 그렇게 심해? 내가 유달리 그 말을 또렷이 기억할 수 있었던 건 남의 잠자리를 방해했다는 죄책감 때문이었다.

난 상담원에게 아내로부터 코골이가 심하다는 말을 들었노라 실토 하면서 혹시 수면무호흡증과 관련이 있는지 모르겠다고 말했다. 그 러자 갑자기 그녀의 태도가 돌변했다. 대장내시경이 포함되어있어 수면상태로 검사를 하게 되는데 수면무호흡이 있는 경우 검사를 할 수 없다는 것이었다. 수면무호흡증 환자의 경우 검사 중에 산소포화 도가 급격히 떨어져 위험할 수가 있는데 그곳에는 응급실이 비치되 어 있지 않다는 이유를 들이대면서. 몇 마디 이야기가 계속 이어졌 지만 무작정 오랜 시간 통화를 할 수는 없어서 정확한 증상을 아내 에게 확인한 후 다시 통화하기로 하면서 전화는 끊어졌다.

통화내용을 설명하면서 나의 코골이 증상에 대해 아내에게 문의했 을 때 아내는 펄쩍 뛰었다. 술을 많이 마신 날 코를 골았다고 말했지 언제 수면무호흡증이 있더라는 말을 했냐면서. 나의 경우 수면무호 흡증세와는 전혀 상관없는 단순 코골이일 뿐이라 강조하기까지 했 다. 말을 듣고 보니 없잖아 내가 과도하게 코골이와 수면무호흡증을 동일시했다는 점을 깨닫게 되었다.

다시 검진센터로 전화를 했다. 비교적 상황설명을 자세히 하면서 앞서 통화를 할 때도 수면무호흡증이 있다고 말한 것이 아니라 코골이가 그것과 연관되어있지나 않을까 걱정했을 따름이라는 말까지 덧붙였다. 그녀 역시 과하게 반응했다는 사실을 인정했다. 하지만 통화하는 내내 내가 거짓을 말하는 것은 아닌지 미심쩍어하는 느낌이 그대로 전해져왔다. 어쨌든 검진예약은 무사히 끝이 났다.

전화를 끊은 뒤였다. 무언가 개운치 않은 느낌이 계속 내 주변을 떠다녔다. 그건 일종의 의심이었다. 정말 내가 수면무호흡증으로부터 자유로울까 하는. 아내가 나를 속여서라기보다는 잠자리에서만 확인 가능한 증세이기에 아내 또한 정확하게 파악하지 못하는 사태가 벌어질 수도 있지 않겠는가. 거기다 수면무호흡이라는 것이 오랜 시간 이어지는 증세는 아니었다. 만약 그렇다면 벌써 죽음에 이르렀거나 심각한 상태에 빠져 있을 테니까. 의문은 두려움을 동반했다. 만약 그 증세가 있다면 내시경을 하는 동안 상담원의 말처럼 위험상황에 빠질 수도 있는 문제였다. 더군다나 그곳에는 응급실마저 없다고 하니 그런 상황이 오면 치명적일 수도 있었다.

그렇다고 검진을 포기하자니 그건 또 아까웠다. 이번에도 쉽지 않은 결심을 한 것인데 다음번에 다시 또 힘든 결심을 해야 한다고 생각하니 아득하기만 했다. 그뿐만이 아니었다. 그런 이유로 검진을 미룬다면 다음 검진은 응급실이 있는 다른 병원을 선택해야한다는 말이고 나에 관한 이전 진료기록이 없는 그곳에서 검진을 받기 위해서는 귀찮은 일들이 상당히 수반될 게 뻔했다. 결국 난 다시 한 번 나의 상태를 재확인해보기로 했다.

현재 상태에서 나의 수면무호흡 여부를 확인할 수 있는 수단은 아내밖에 없었다. 아내에게 다시 물었다. 나의 코골이가 확실하게 수면무호흡과는 상관없는 것이냐고. 갑자기 아내로부터 큰 웃음소리가 터져 나왔다. 당신 코골이 심한 거 절대 아니야. 평소 때는 잘 골지도 않을뿐더러 술을 과하게 먹은 날만 조금 고는 거야. 수면무호흡증세와는 전혀 상관없으니 아무 걱정 마. 그 말은 적잖이 나를 안심하게 만들었다. 결국 나는 그대로 검진을 진행하기로 마음먹었다.
　며칠 후 난 검진을 아무런 이상 없이 마쳤다. 하지만 그럼에도 불구하고 지금껏 수면무호흡증에 관한 불안감을 완전히 떨쳐버리지는 못하고 있다. 난 그것이 말의 힘 때문이라는 사실을 깨달았다. 말이란 한 번 내뱉고 나면 영원히 없었던 일이 되지 않는다. 때문에 난 앞으로도 계속 수면무호흡이라는 단어에 민감할 수밖에 없을 것이다. 아니 그 단어는 이미 나에게 트라우마로 자리 잡은 건지도 모른다. 덕분에 아주 중요한 걸 깨우쳤다. 내가 무심코 내뱉은 말 때문에 지금 나와 같은 일을 겪고 있는 사람이 있을지 모른다는 사실이다.
　앞으로는 말하기에 앞서 잠깐 동안이나마 생각하는 습관을 들여야겠다고 다짐했다. 쉽지는 않겠지만 내 말로 인해 나중에 발생하는 피해의 크기를 생각한다면 아무리 노력해도 결코 지나치지 않으리라는 생각마저 들었다. SNS에 글을 올릴 때도 마찬가지다. 그건 말과 달리 수정이나 삭제가 가능하지만 그렇다고 해도 수정이나 삭제 전에 이미 그 글을 읽은 사람에게는 그 또한 아무 소용이 없다. 말과 글, 적어도 내 손과 내 입을 통과한 것이라면 마땅히 그 책임은 고스란히 내가 져야함을 단 한시라도 잊어서는 안 될 것이다.

운명과 사명

가끔 운명이라는 것에 대해 생각해 볼 때가 있다. 과연 내 삶에 운명이라는 것이 정해져 있는 것인가 하고. 그때마다 내 마음은 존재한다는 쪽으로 무게추가 기운다. 그렇다고 운명론자처럼 그것을 확신하는 것은 아니다. 그저 그러려니 하면서도 끄트머리에는 여전히 의문부호 두어 개쯤을 갖다 붙이곤 한다. 그 정도나마 운명을 믿는 것은 그동안 살아온 내 삶의 궤적과 관계가 있다. 어쩌다 전혀 기대하지도, 예상하지도 않았던 일이 생길 때가 있는데 그때마다 운명과 결부 짓지 않는 이상 딱히 발생사유를 설명할 길이 없는 경우가 허다하다. 비단 나뿐만이 아니라 그런 경험을 한 사람들은 많을 것이다. 물론 그 또한 우연이라며 간단히 치부하고 넘겨버리면 그만이지만 그 횟수가 무시할 수 없을 정도가 되면 매번 그러기에는 인생의 무게를 너무 가벼이 취급하는 느낌이 든다.

사람은 각자 다른 조건을 가지고 태어난다. 주변 환경은 차치하고

라도 우선 개인적 특성이 다 제각각이다. 두뇌가 뛰어난 사람이 있나하면 신체조건이 우수한 사람이 있다. 장수하는 사람이 있나하면 단명하는 사람도 있고, 감성이 풍부한 사람이 있나 하면 지극히 논리적인 사람도 있다. 운명의 근원은 여기서부터 시작되는지도 모른다. 하긴 이 또한 단순한 유전자 조합에 지나지 않는다고 말한다면 어쩔 수 없는 일이지만 그러기에는 풀리지 않는 수수께끼들이 너무 많다. 수수께끼조차 아직 인간의 과학수준이 가닿지 않았을 뿐 언젠가는 밝혀질 문제라며 아예 운명과의 관계를 차단하며 부정하려는 사람도 있을 것이다. 그래서 분명히 해두고 싶은 게 있다. 이 글을 쓰는 나의 의도가 운명의 존재여부를 두고 갑론을박하자는 것이 아니며, 운명이 존재한다고 설득하고자 하는 건 더더욱 아니라는 점이다. 그저 아직 우리에게 미지의 세계로 남아있는 영역을 운명이라 이름 짓고 그 가정 하에 우리가 살아가야하는 방향에 대해 이야기하고 싶을 따름이다.

태어난 조건을 운명이라 한다면 그건 자라면서 충분히 바꿀 수가 있다. 부족한 신체적 능력이나 지적 능력을 후천적인 노력으로 극복하는 것이 좋은 예다. 결코 쉬운 일은 아니지만 불가능한 일 또한 아니다. 아니 어렵기 때문에 오히려 우리는 그들의 노력을 더 높이 사고 더 큰 박수를 보낸다. 또 자라나는 청소년들에게 그런 사람들을 본받아 운명을 극복하고 개척하려는 노력을 게을리 하지 말라고 말하기까지 한다. '천재는 1퍼센트의 영감과 99퍼센트의 노력에 의해 결정된다.'라는 에디슨의 말도 그것과 일맥상통한다. 안타까운 건 그런 결과를 얻기 위해 엄청난 스트레스를 이겨내야 하고 현재를 깡

그리 희생해야한다는 점이다. 그렇다면 과연 운명을 개척하는 것만이 능사일까? 한 번쯤 의문을 품지 않을 수가 없다.

우리에게 태어날 때부터 정해진 게 있다는 건 태어날 때부터 신이나 절대자가 맡긴 것이 있다는 말이나 마찬가지다. 다시 말해 우리를 주체로 하면 운명이겠지만 신이나 절대자를 주체로 표현하면 그말은 사명이라는 말로 바꿔 부를 수가 있다. 운명이 있다고 가정한 순간 이미 신이나 절대자의 존재를 인정한 셈이니 더 이상 종교문제를 거론할 필요는 없을 것이다. 운명을 그렇게 사명이라는 말로 바꾸어 놓으면 뉘앙스가 많이 달라진다. 바꾸고 개척하려기보다 순응해야 한다는 느낌이 훨씬 강하게 든다. 나아가 운명을 거스르려 할 때보다 오히려 그대로 따르려 할 때 훨씬 더 많은 용기가 필요한 것처럼도 느껴진다. 여기까지 생각이 미치면 운명을 극복의 대상이라고만 여기면서 그쪽에만 많은 가치를 부여하는 것도 지극히 일방적이고 편협한 사고에 불과한 일이 되고 만다.

그렇다면 운명 앞에서 어떻게 행동하는 것이 바람직할까? 개척하는 것이 옳은가 순응하는 것이 옳은가? 결국 그 결정은 각자의 몫이다. 나에게 주어진 조건이나 환경이 내가 원하는 것과 일치하지 않는다면 낙담하지 말고 강한 의지로 과감하게 도전해 바꾸려해야한다. 다만 그 과정이 너무 힘들고 불가능하다고 좌절할 필요는 없다. 그럴 때면 구태여 거스르려만 말고 순응하는 것도 하나의 방법이다. 미래를 위해 현재를 양보하고 참는 것이 꼭 옳다고만 말할 수 없다. 어쩌면 바로 내가 살고 있는 이 현재가, 불확실한 미래보다 더 중요할 수도 있다. 행복감을 비교할 때도 특정한 기간의 것만을 측정해

평가하지 말고 인생전체의 행복총량을 측정해 평가한다면 그 결과
는 충분히 달라질 수 있다.

중요한 건 운명을 개척하는 자만이 승리자가 아니라는 점이다. 운
명에 순응하는 자 역시 충분히 승리자의 자격을 갖추고 있다. 아니
어떤 면에서는 운명에 순응하는 자가 최후의 승자인지도 모른다.

다수결(多數決)이 아닌 고성결(高聲決)의 이상한 민주주의

 며칠 전의 일이었다. 아파트 엘리베이터에 공고문이 하나 붙어있었다. 주민들의 의견을 청취하기 위해 투표를 실시한다는 내용이었다. 안건은 정문 앞 도로변에 설치된 가드펜스의 일부에 대한 철거여부였다. 그건 나로 하여금 이 아파트에 입주할 때부터 약 2미터 정도의 폭만큼 계속 뚫려있던 가드펜스가 최근 들어 완전히 막히게 되기까지 일련의 과정을 떠올리게끔 만들었다.
 그곳은 정문 바로 앞에 있는 횡단보도로부터 약 20여 미터 떨어진 곳으로 유치원차량들의 정류소였다. 아이들이 승하차를 하는 공간이다 보니 아무리 인도와 차도 사이의 안전판이라 하더라도 그 부분만은 가드펜스를 설치할 수가 없었다. 누가 보아도 그건 너무나 당연했다. 벌써 십여 년 세월이 흘렀지만 거기 대해 입방아를 찧는 사람이 아무도 없었던 것도 모두가 그렇게 인정한 탓이었다.
 문제는 그로 인해 무단횡단이 빈번하게 이뤄지는데 있었다. 건너편에는 상가들이 밀집한 지역이었다. 자연히 길을 건너 그곳으로 가는 주민들이 많을 수밖에 없었다. 그중 대다수의 사람들이 정문 앞에 있는 횡단보도 대신 뚫린 가드펜스를 통해 무단횡단하는 방법을 선택했다. 횡단보도까지 가려면 20여 미터를 더 걸어야하기 때문이었다. 나 역시 그런 경우가 비일비재했음을 실토하지 않을 수 없다.

원래 불법이나 위법행위도 한 번 저지를 때는 가책을 느끼지만 잦아지면 면역이 생겨 아무 일도 아닌 것처럼 되어버리는 법이다. 날이 갈수록 무단횡단을 하는 사람의 수는 늘어갔고 어느 순간 그건 남녀노소를 가리지 않고 당연시되기 시작했다. 포스터며 플래카드는 물론이고 심지어 가가호호 방송까지 해댔지만 큰 효과는 없었다. 더 이상 방치할 수 없는 수준에 도달하자 자치단체는 고심 끝에 대책을 마련하기에 이르렀다.

가드펜스가 완전히 막힌 건 그래서였다. 그 일환으로 유치원차량의 정류소는 약 30여 미터를 이동해 횡단보도를 건넌 지점으로 결정되었다. 나름 합리적인 대안이었다. 길을 건널 때마다 횡단보도까지 더 걸어야하는 불편이 따랐지만 난 환영했다. 무단횡단도 그렇지만 결코 무시할 수 없는 다른 문제들도 속속 드러나고 있었기 때문이다.

무엇보다 배달라이더들의 오토바이가 야기하는 문제가 도를 넘어서고 있었다. 애초부터 그곳에는 자그마한 아파트 상가가 위치해있었는데 거기에 치킨집이 들어선 게 발단이었다. 치킨집 배달라이더들은 가드펜스가 없는 그곳을 마치 자신들의 전용통로마냥 이용했다. 그러면서 시동을 켠 채 오토바이를 예사로 주정차하면서 매연피해는 고스란히 주민들의 몫이 되었다.

차량을 이용해 아파트로 들어올 때 주민들이 겪어야하는 불편도 상당했다. 주차장으로 가려면 3차선인 그 인도 쪽 차선을 이용해 횡단보도를 지나 우회전으로 진입해야하는데 그때마다 유치원 통학차량이나 라이더의 오토바이들은 장애물 구실을 톡톡히 했다. 1,2차선의 차량들이 신호대기를 하거나 통행량이 많을 때는 차선변경이 어려울 뿐 아니라 위험하기까지 했다.

변화의 효과는 아주 긍정적이었다. 무단횡단이 자취를 감춘 것은 말할 것도 없고 교통의 흐름도 아주 자연스러웠다. 그런 상황이었기에 엘리베이터에 붙은 공고문은 의아심을 불러일으키기 충분했다. 대체 왜 가드펜스를 다시 철거하는 일을 두고 찬반투표에 붙인다고 하는 것일까? 궁금증은 집에 들어서는 순간 아내에 의해 금방 풀렸다. 유치원차량 정류소가 이동되면서 몇몇 학부모들이 불편을 호소하며 자치단체에 민원을 제기했다는 것이었다. 어이가 없었다. 그건 고작 삼십여 미터를 더 걷는 게 힘들다고 다른 사람들더러 위험과 불편을 감수하라는 말에 다름 아니었기 때문이다. 그들이 얄미웠지만 그나마 투표로 결정하겠다는 걸 다행으로 여겼다.

투표결과는 재철거를 하지 않는 쪽으로 나왔다. 굳이 집단지성을 들먹일 것도 없이 지극히 당연한 결과였다. 말도 많고 탈도 많던 가드펜스의 문제는 그렇게 일단락되는 듯했다. 그런데 그게 아니었다. 오늘 우연히 외출을 하는데 그곳에 학부모들이 많이 모여 있었다. 유치원차량의 정류소가 옮겨진 후로 그런 모습을 볼 수가 없었는데 이상하다싶어 눈길을 그쪽으로 돌렸다. 그곳에는 내 눈을 믿지 못할 상황이 벌어져있었다. 가드펜스는 예전처럼 다시 철거되어있었고 유치원차량의 정류소 표지판이 떡하니 인도 한쪽을 점거하고 있었다. 차도에도 변화는 보였다. 중앙차선을 따라 기다랗게 가드펜스가 쳐져있었다. 무단횡단 방지용이었다.

모르긴 해도 일부 학부모들이 투표결과를 온전히 받아들이지 않으면서 지속적으로 민원을 제기한 게 분명했다. 끈질긴 민원에 자치단체가 굴복해 벌어진 일이 틀림없었다. 이럴 거면 투표는 왜 했는지, 그리고 주민차량의 아파트 진입문제는 어떻게 해결할 것인지 의문이 생기지 않을 수 없었다. 큰 목소리를 내는 일부에 의해 다수가 결정한 일이 한순간에 무너져버린 것이었다. 과연 이게 민주주의일까? 조용히 침묵하며 참는다는 이유로 다수를 무시하고, 떠든다고 자꾸 귀찮게 한다고 소수에 불과한 그들의 손을 들어주는 것이 공무원들의 바람직한 태도일까? 다수결이 민주주의의 가장 첫째가는 기본 원칙이거늘 그것을 아무 것도 아닌 양 내팽개치는 것이 과연 소수와 약자를 보호하는 길인가? 회의가 일었다. 이런 일이 빈번하니 많은 사람들이 합리적으로 자신의 의사를 관철시키려하지 않고 무작정 거리로 뛰쳐나오는 것이 아닐까? 문득 공권력이 온순한 시민을 투사로 만든다는 말이 생각났다. 아울러 공권력의 권위를 무너뜨리는 사람이 다른 사람이 아닌 공무원이라는 말도 떠올랐다. 동의하는 사람의 수로 정책을 결정하는 것이 아니라 목소리의 크기로 결론을 내는 사회라면 그 말들이야말로 진리 중의 진리였다.

집으로 돌아왔더니 어떻게 알았는지 아내의 입에서도 그 소식이 튀어나왔다. 아내를 향해 불퉁하니 한 마디 내뱉었다. 당신 말이야. 버스 정류소가 멀어 불편하다 했잖아. 우리도 집 바로 앞에 정류소 만 들어달라고 시청홈페이지에 글 올려볼까? 담당자가 업무를 못할 정도로 시도 때도 없이 전화하고 글 쓰면 아마 해결해주지 싶은데. 아내의 얼굴에 미소가 가득 번져났다.

공공근로사업을 바라보는 나의 시선

아침운동으로 개천 변을 달리다 한 무리의 인부들을 만났다. 육십 언저리의 중년남자들 일색이었다. 그들은 개천 가장자리에 펼쳐진 좁은 땅에서 말뚝을 박거나 줄을 치는 작업 중이었다. 일부는 흙덩이를 매만지며 밭을 일구는 일도 하고 있었다. 모두가 노란 조끼를 통일되게 차려입은 모습이 공공근로에 나선 사람들이 확실했다. 40대의 젊은 남자가 그 주변을 오가며 이런저런 지시를 내리는 모습이 눈에 띄었다. 아마도 그들을 감독하는 십장이거나 근로사업의 주체인 공무원인 모양이었다.

지자체마다 중장년층 실업대책을 우후죽순으로 쏟아내는 요즘이었으니 그 일환이라 생각하면 특별히 이상할 건 없었다. 다만 일꾼들이 모조리 남자로만 구성되어있다는 점이 약간 남달라 보였다. 내가 알기로 으레 공공근로사업이라 하면 풀 뽑기나 화단 가꾸기를 일컬었고, 그런 작업에는 여자들이 동원되기 마련이었다. 하지만 그조차 오늘의 경우는 힘을 쓰는 일이 상당수 포함되어 있었으니 당연시하며 별 생각 없이 그곳을 스쳐 지났다.

잠시 후였다. 달리는 고통을 이겨내기 위해 무엇이라도 상상하려는 습관이 본능처럼 발동했다. 그러자 그들에 관한 여러 가지 의문들이 소환되면서 머릿속에서 똬리를 틀기 시작했다. 그들은 어떤 경로를 통해 그 일자리에 참여하게 되었을까? 근래 들어 그와 관련한 공고문이 내 눈에 띈 적은 단 한 번도 없었다. 벽보나 플래카드를 통해 이루어졌다면 매일 이 주변을 쏘다니는 나의 시야에 포착되지 않았을 리가 없고, 설사 온라인상에서 이루어졌다 한들 인터넷이라는 정보의 바다는 나의 일상생활공간이나 마찬가지였으니 그걸 놓칠 리가 없었다. 의문을 품은 배경에는 평소 공무원들을 바라보는 나의 곱지 못한 시선이 자리하고 있었다.

그저 일자리창출이라는 성과만 내면 된다는 생각에 얼렁뚱땅 이루어진 선발은 아닐까? 그들이 어떤 이권에 개입되어 의도적으로 불법을 저지른 것은 아닐지라도 일부 노인단체에서 관공서로 찾아와 떼를 쓰는 바람에 그게 귀찮아서 대충 일자리를 던져줄 수도 있는 일이다. 공무원 사회에 그런 경우는 허다하다. 오죽하면 시도 때도 없이 민원을 제기해 담당공무원을 귀찮게 하는 것이 문제를 해결하는 최고의 방법이라는 말이 내 귀에까지 들려오겠는가.

비단 앞서 언급한 일들 말고도 노인들과 관련한 사업은 많다. 등하고길 도우미라든가 공원 청소와 같은 일도 있다. 특히 이런 일자리는 소위 꿀 보직이라는 말이 공공연히 들려온다. 내가 보기에도 그렇다. 거리를 오가다보면 버젓이 등하교길 도우미 복장을 한 노인들이 자신들의 근무지역을 이탈해 시간만 때우는 모습들이 보이는가 하면, 청소용 도구만 든 채 공원의 벤치에 삼삼오오 모여 잡담을 즐기는 노인들을 발견하기란 그리 어려운 일이 아니다. 물론 그들이 자신의 일을 다 한 후 휴식을 취하는 것일 수도 있지만 오랜 시간 지켜보면 꼭 그런 것만은 아니라는 것 또한 쉬 알 수 있다. 여기에는 노인들에게 쓴 소리를 차마 하지 못하는 주변 사람들과 공무원들의 배려(?)도 톡톡히 한몫을 한다.

공공근로사업의 목적은 일자리 창출에만 있는 것이 아니다. 생활이 어려운 노인들에 대한 복지의 개념도 포함되어 있다. 아니 포함된 것이 아니라 그것이 주 목적인지도 모른다. 물론 사업에 참여하는 사람 중에는 독거노인도 있을 것이고 폐지를 주워 생활하는 사람들도 있을 것이다. 분명한 건 정작 생활이 어려운 이런 사람들에게 백 퍼센트 돌아가야 할 혜택이 상당 부분 누수현상을 일으키고 있다는 점이다. 과연 그것이 나의 왜곡된 시선이 빚어낸 오류에 불과한 것일까?

그 어떤 훌륭한 정책도 완벽한 것이란 없다. 그렇기 때문에 이런 일로 법을 만든 국회의원들과 집행하는 공무원들만 싸잡아 비난하는 건 옳지 못하다. 거기에는 우리 같은 시민들도 관여되어있다. 무엇보다 대상이 아님을 알면서도 사업에 참여하는 사람들과, 참여한 사업에서 맡겨진 일을 게을리 하는 사람들의 책임이 가장 크다. 나라고 크게 다르지 않다. 만약 나에게 그런 꿀 보직의 일자리가 주어진다면 난 서슴없이 그 꿀을 탐닉하려 매달릴 것이 뻔하기 때문이다. 다소 심한 표현이 될지는 모르지만 이런 사람들이야말로 남의 기회를 박탈하는 도둑이며 남의 생을 빼앗는 파렴치한에 다름 아니다. 아울러 일자리를 제공하는 공무원들 역시 철저하게 원칙과 기준에 근거를 둔 선발과 감독을 행해야 함은 말할 것도 없다.

 자신만을 생각하다보면 항상 이런 일이 생기기 마련이다. 시선을 자신에게만 집중하기 때문에 남들을 향한 배려심을 발휘할 틈이 없어진다. 어쩌면 오늘 공공근로사업에 대한 생각을 하게 된 것도 사실은 거기서 내가 배제되었다는 사실에서 출발한 것인지도 모른다. 그런 측면에서 가장 반성해야 할 사람은 바로 나다. 남들의 잘잘못을 따지기에 앞서 나부터 타인을 먼저 생각하는 버릇을 들일 필요가 있다. 분명 쉽지는 않을 것이다. 그렇다면 이렇게 바꾸어 생각하면 어떨까? 나 아닌 타인을 나의 가족이나 친구들이라고. 그게 더 어려울 수 있지만 어쨌든 그리만 된다면 나만 생각하는 욕심이 조금은 줄어들 수도 있을 것이다. 매일같이 내가 지향하는 관대한 사람이 되는 첩경은 그곳에 있는 것이 틀림없다.

18층 아저씨

 달리기를 시작해 겨우 호흡을 다스릴 즈음이었다. 늘 마주치던 익숙한 얼굴이 보였다. 18층에 사는 아저씨였다. 달리기 대신 걷기를 선택했다는 점이 다르긴 하지만 나만큼이나 아침이면 빼먹지 않고 개천 변에 출현하는 사람이었다. 그는 오늘도 학생들이 흔히 실내화로 신곤 하는 샌들에 가벼운 배낭을 멘 차림이었다. 난 '안녕하세요?'라는 말로 가볍게 인사 하면서 스쳐 지나갔다. 그 역시 손을 들어 올리며 답례를 해왔지만 그 표정이 평소와는 확연히 달랐다. 얼굴이 약간 부은 듯한 데다 창백하기 이를 데 없었고 손동작 역시 아주 힘겨워보였다. 뿐만 아니라 어딘가를 향해 걷고 있는 것이 아니라 멈춰서 있었으며 곁에는 부인이 자리를 지키고 서있었다.
 내가 아저씨에게 관심을 두게 된 건 비단 아침운동 길에 자주 만난다는 사실 때문만은 아니었다. 어느 날 성당에서 미사가 끝났을 때 그곳에서 그들 부부를 만나게 되었다. 두 사람도 성당을 다니는 신자였다. 그날따라 아파트의 엘리베이터에도 동승하게 되었다. 엘리베이터의 버튼은 우리 집의 층수뿐 아니라 18층 역시 활성화되어 노란 빛을 발하고 있었다. 비슷한 나이대, 같은 아파트 동, 같은 종교. 다 늙어가는 마당에 그것들은 동질감을 안겨주기에 충분한 요소들이었다. 좁은 공간 속에서 달리 시선을 둘 곳이 없었던 우리는 자연스레 눈길이 마주치면서 서로 목례를 나누었고 그것이 만날 때마다 수인사를 나누는 계기가 되었다.

몇 발자국 옮기지 않아서였다. 얼마 전에도 그와 비슷한 장면을 보았던 기억이 떠올랐다. 그날 우리가 만난 건 아파트의 산책로에 마련된 벤치에서였다. 그때도 아저씨 옆에는 부인이 서있었다. 늘 혼자서 아침산책에 나서던 모습과 달라 옆을 지나치면서 고개를 갸웃거리는데 등 뒤에서 아주머니의 목소리가 들려왔다. 여보, 여기 이렇게 가만있으면 안 돼. 정신을 차리고 걸으려고 해야지. 무언가 병증에 시달리고 있음을 알리는 말이었다. 심상치 않았지만 난 일시적으로 기력이 떨어져 그런 것이려니 여기며 서둘러 그곳을 벗어났고 그리곤 잊어버렸던 것이다.

갑자기 싸한 느낌이 전신을 휘감아왔다. 나를 바라보던 아저씨의 흐릿한 눈빛이 목구멍에 커다란 가시가 걸린 것만큼이나 마음에 걸렸다. 분명 어딘가 많이 불편한 것이 틀림없었다. 부인이 곁에 있기는 했지만 만약의 경우 여자 혼자 몸으로 남자를 돌보는 데는 한계가 있을 게 뻔했다. 더구나 차량의 통행이 불가능한 곳일 뿐 아니라 인적 또한 그다지 많지 않은 곳이었다. 달리기를 포기하고 도로 돌아가야 하나. 갈등에 빠졌다. 그러나 곧 마음을 고쳐먹었다. 비록 여자라 해도 엄연히 보호자가 있는 마당에 내가 나서는 건 괜한 오지 랖이려니. 만에 하나 다급한 일이 생긴다 해도 결국은 119의 도움을 받아야하는 처지고보면 내가 있으나 없으나 그 결과가 크게 다르지 않으려니. 그렇게 난 스스로의 행동을 합리화하며 그 장면을 지우려 노력했다.

어느새 반환점에 도달했다. 기대와 달리 그때까지 난 아저씨 생각 으로부터 좀처럼 자유로울 수 없었다. 설마 잘못되는 건 아니겠지. 몇 번이나 그리 생각하면서도 불편한 사람을 애서 외면했다는 자책 은 사라지지 않았다. 평소 같으면 한참 힘들어 숨이 가빠왔을 테지 만 그것마저 그런 생각들로 상쇄되어갔다.

마침내 아저씨와 만났던 지점에 도달했다. 두 사람은 이미 사라진 뒤였다. 회복이 되어 돌아갔겠지. 스스로를 위로하며 난 자신을 구 제하려들었다. 그러나 생각처럼 마음은 당체 편안함을 되찾지 못했 다. 구급차에 실려가 지금쯤 응급실에 누워있을지도 모른다는 불길 한 생각이 엄습해왔다. 그럴 일은 없다며 아무리 평정심을 유지하려 해도 결코 뜻대로 되지 않았다.

스트레칭까지 마치고 집으로 돌아올 때였다. 엘리베이터를 기다리 면서 은근히 그곳에서라도 아주머니를 만날 수 있었으면 하는 생각 이 간절했다. 아주머니를 본다는 건 아저씨의 상태가 그리 위급하지 않다는 말일 테니까. 1층에 도착한 엘리베이터의 문이 활짝 열렸다. 그러나 그 안에는 아무도 없었다. 18층에 가까워질 때도 난 포기하 지 않고 아주머니가 멈춰 세워주기를 바랐다. 그러나 엘리베이터는 단 한 차례의 멈춤도 없이 26층까지 직진했다. 아마도 아저씨의 상태가 확인될 때까지는 계속 엘리베이터를 탈 때마다 오늘의 일이 생각날 것 같았다. 그러게 남의 힘든 상황 앞에서 왜 쉽사리 용기를 내지 못하고 외면하기 급급했을까?

누구나 외치는 공정이라는 단어의 진정한 의미

유난히 정쟁이 심한 계절이다. 아마도 지역 국회의원을 뽑는 총선이 채 6개월을 남겨두지 않은 시점이어서일 것이다. 여야를 막론하고 자신을 선택해주면 마치 국민을 하늘 떠받들 듯이 하겠다며 온갖 공약을 남발하는 것은 이번에도 다르지 않다. 그 말은 선거가 끝나는 순간 그들이 이전처럼 그 모든 약속들을 헌신짝처럼 내팽개치며 국민들 위에서 군림하려들 것이라는 예고편에 다름 아니다. 요즘 들어 부쩍 늘어난 거리의 플래카드와 신문의 정치면, 그리고 시사와 관련된 방송을 내가 애써 외면하는 이유는 바로 거기에 있다. 하지만 불행하게도 이 인체기관이라는 놈은 내 명령에 항명하는 경우가 잦아 어쩔 수 없이 시답잖은 그들의 주장과 맞닥뜨리게 만들곤 한다. 그 중에서도 나를 가장 불편하게 만드는 건 시도 때도 없이 그들이 '공정'이라는 단어를 떠벌인다는 점이다. 이 세상에 존재하는 모든 차별과 불공정이 그들의 말과 행동거지에서 시작된다는 것을 모르는 사람들이 없건만 참으로 뻔뻔한 행위가 아닐 수 없다. 만약 그렇지 않다면 그들이 외쳐대는 공정의 의미가 우리가 생각하는 것과는 사뭇 다른 달나라에서 온 까닭일 것이다.

 문득 국내 한 회사의 튀르키예 현지법인에서 근무했을 때가 떠오른다. 당시 난 그 법인의 책임자로서 가장 힘들다고 할 수 있는 현지인들과 임금협상을 진행하는 중이었다. 현장직원들이야 크게 나로서는 신경 쓸 일이 없었다. 해마다 임금인상률을 정하는 근로자 대표와의 협상이 마냥 수월한 것은 아니지만 일단 그게 끝나면 나머지 변수인 고과라는 건 현장책임자의 권한이어서 설득 또한 그들의 몫이었기 때문이다. 문제는 사무직인 현지인 간부들과의 협상이었다. 그들과는 한 명 한 명 일일이 연봉협상이라는 직접 대면절차를 거쳐야했으며, 내가 매긴 고과점수를 그들이 받아들이지 않는 이상 협상은 한 발짝도 나아갈 수가 없었다.

 인간이란 지독하게 이기적인 동물이라 누구나 자신에 대한 평가는 후한 법이어서 제3자가 내린 것과는 상당한 차이가 생기기 마련이다. 그들 가운데 어느 누구도 처음부터 나의 평가결과를 고스란히 받아들이려는 사람이 없었다. 이때 도움을 준 건 개인별 업적을 수치화해놓은 자료였다. 사람이 하는 일을 어찌 정확하게 계량화할 수 있을까마는 좌우간에 숫자는 그들에게 꽤 어필했다. 단지 기준을 수치화한 것에 불과한 그 일이 주관적 평가에 객관성이라는 가면을 씌운 셈이었다. 덕분에 난 어렵사리 협상을 마무리 지을 수 있었다.

 며칠 뒤였다. 생산부서를 맡고 있던 한 명이 나를 찾아왔다. 그는 내 방에 들어서자마자 입에 거품을 물면서 고함치듯 대들었다. 결코 공정하지 않은 협상결과를 받아들일 수 없다는 것이었다. 무엇이 공정하지 않느냐고 물었더니 단숨에 품질부서장이 그처럼 인상률이 높은 것을 인정할 수 없다고 말했다. 그날부터 그를 시작으로 불만을 가진 사람은 점점 늘어났다. 하나같이 비교대상을 지목하며 상대의 인상률이 높다는 것이었다. 심지어 자기보다 인상률이 높지 않아도 그의 업적에 비해 과도한 인상이라며 배 아파했다. 내가 자신을 향해 내린 평가는 인정할 수 있지만 다른 사람에 내린 평가는 인정할 수 없다는 취지였다. 그게 그들이 말하는 소위 공정이었다. 잣대가 객관적이지 않고 오로지 남이 잘 되는 것을 인정하지 않는 데만 초점이 맞추어진 공정. 흔히 우리가 말하는 상대적 박탈감이 이런 의미일까? 그런 생각이 퍼뜩 들었지만 그것과는 분명 판이하게 다른 것이었다. 왜냐 하면 이들은 자신이 상대에 비해 더 누릴 수 있어도 공정하지 않다고 말하고 있었으니까.

다시 협상이 시작되었다. 해결방법이 묘연했던 나는 제일 처음 나를 찾아왔던 친구에게 이런 제안을 해보았다. 지목한 친구의 급여인상폭이 불만이라면 그 친구의 인상률을 낮추는 대신 거기에 맞게 본인의 인상률도 낮추면 어떠냐고. 그 친구 또한 그의 급여인상에 불만을 갖고 있다는 사실을 언급하면서. 의아스럽게도 그는 그 안을 받아들일 수 있다고 답했다. 놀라운 것은 대부분의 사람들이 대동소이하다는 점이었다. 아니 이렇게 어리석을 수가 있는가. 결국 나는 모두에게 똑같이 최저인상률을 적용하겠다고 공표했다. 물론 그 과정이 처음부터 끝까지 순탄하게 정리된 것은 아니었다. 불만을 제기하며 나를 찾아오는 사람들이 더러 나타났다. 하지만 이미 대세는 기울었고 그 여세에 힘입어 협상은 종지부를 찍었다. 불만들은 찻잔 속의 태풍처럼 잦아들었다. 자신들이 내뱉은 말을 차마 주워 담을 수 없어 마지못해 따르는 사람들도 보여 못내 안타깝기도 했지만 그 일을 통해 그들이 말하는 공정이 정작 공정하지 않다는 걸 깨우치길 바라는 마음으로 그냥 지켜만 보았던 기억이 새롭다.

불현듯 요사이 위정자들이 외치는 공정이 이들의 공정과 크게 다르지 않다는 생각이 든다. 그들의 공정이야말로 그 기준이 자신의 관점에만 맞춰져있기 때문이다. 자신이 옳다고 생각하면 공정이고 그렇지 않다고 생각하면 차별이다. 공정과 차별을 논할 때면 어김없이 역차별이라는 단어가 등장하는 것도 그 때문이다. 분명히 말하지만 공정은 객관성을 가질 때 그 가치가 비로소 빛을 발하는 것이다. 내가 공정하게 느끼는 것이 아니라 상대가, 그리고 제3자가 공정하다고 느껴야하는 것이다.

인간사회 자체는 제각각 많은 이해집단으로 구성되어 있다. 따라서 이들을 모두 만족시킬 수 있는 공정이란 존재하기 힘들다. 그렇다면 이렇게 생각해보는 건 어떨까? 나에게 불리한 것이야말로 공정이라고. 우리가 차별받는다는 느낌이 드는 것이 바로 공정이라고. 모두가 이기심을 버릴 때 공정사회가 앞당겨진다는 것을 감안하면 그게 정답일지도 모른다.

걱정하며 사는 삶

 요즘 따라 이런저런 걱정으로 마음이 편하지 않은 날이 많다. 무슨 걱정거리가 이리도 많은지 놀랄 지경이다. 걱정을 한다고 해답이 구해지는 것도 아니다. 또 대부분은 걱정만 하다가 그것으로 그치는 경우가 허다하다. 아무런 도움이 되지 않는 그런 걱정으로 정말이지 많은 시간을 낭비한다.

 적어도 나에게 있어 '걱정을 한다'는 표현은 잘못된 것이다. 내가 원해서 하는 것이 아닌 만큼 '걱정이 든다' 혹은 '걱정이 된다'로 바꿔써야한다. 그런 탓에 그것으로부터 벗어나려 해도 쉽지가 않다. 오히려 그러는 순간 그게 또 걱정거리로 작용한다. 걱정을 해서 걱정이 없어지면 무슨 걱정이 있으랴만 걱정해도 걱정이 생기니 그것이 걱정인 셈이다.

 걱정이 많다는 건 잡생각이 많다는 뜻이다. 잡생각은 느슨한 생활에서부터 기인한다. 결국 괜한 걱정의 주된 원인은 느슨한 생활이라고 할 수 있다. 요즘 나의 생활을 유심히 살펴보면 그건 확실해 보인다. 은퇴를 하면서 생활 자체에 목표나 목적의식은 사라진지 오래고 그저 그때그때의 기분에 따라 해도 그만 안 해도 그만인 일들로 소일하고 있으니 말이다.

어딘가에 얽매이면 잡생각이 설 땅을 잃는 건 분명하다. 그러면 자연히 걱정 또한 줄어들 것이다. 중요한 건 그 느슨함을 쉬 포기할 수 없다는 점이다. 틀에 박힌 직장생활의 구속에서 벗어나 어렵사리 얻은 자유를 포기하는 것이 내게는 여간 싫은 일이 아니다. 딴에는 방법을 찾는다고 고민도 해봤지만 자유와 걱정은 도무지 양립할 수 없는 문제다. 그러다보니 두 가지를 두고 어느 쪽의 가치가 더 큰지 견주는 일이 발생한다. 비교는 행여 잘못 선택해 후회로 이어지지 않을까 망설임을 낳는다. 그건 또 다른 걱정거리로 변하고 그러는 사이 시간은 또 헛되이 소모된다.

어쩌면 이 모든 일이 내가 처한 현재의 상황에 만족하지 못하면서 생긴 일인지도 모른다. 보람이며 성취감이라고는 전혀 느낄 수 없는 생활. 가정과 사회에서 사라져버린 나의 역할. 어디에도 제대로 발 디딜 곳 없는 내 위치. 이런 것들이 중첩되어 스스로를 위축시키다보니 그곳에서 탈출하려 본능적으로 반응을 보인 결과가 아닐까? 아니 그건 틀림없는 사실이다. 그 와중에 어떤 순간에도 조금도 손해를 보지 않으려는 욕심이 작동하다보니 일을 더 키운 것이리라.

여기까지 생각이 미치게 되자 정작 내게 필요한 것은 걱정을 없애는 게 아니라 생각을 고쳐먹는 일임을 깨달았다. 삶이란 그 본질이 결코 하찮지도 않지만 아주 거창한 것도 아니며, 백 년이 채 되지 않는 그것에 대한 취사선택권은 처음부터 나에게 주어진 것이 아니다. 나의 것이지만 내 마음대로 전개되지도 않는다. 그런 점을 감안하면 걱정 또한 우리에게 주어진 필수불가결한 삶의 한 과정이라 볼 수 있다. 다시 말해 인간이란 존재는 걱정하면서 살아갈 수밖에 없는 운명이라는 것이다.

 그렇다면 결론은 간단하다. 걱정이 생기면 걱정하면서 살면 된다. 그저 기쁜 일에 기뻐하고 슬픈 일에 슬퍼하면 그뿐이다. 우린 먼 미래를 사는 것이 아니라 가까운 현재를 살아간다. 미래를 전혀 도외시할 수는 없지만 그걸 이유로 완벽한 미래를 추구하는 건 어리석은 행위이며 욕심일 따름이다. 빈손이어야 원하는 걸 잡을 수 있듯 무언가를 얻기 위해서는 무언가를 포기해야한다. 삶이라는 크나큰 혜택을 누림에 있어 걱정하는 수고 정도야 그야말로 조족지혈(鳥足之血)이다.

 문제는 이런 마음가짐을 가진 채 살아가는 일이 쉽지 않다는데 있다. 별달리 뾰족한 대책이 있는 것도 아니다. 싫든 좋든 안 되면 안 되는 대로 참고 노력하면서 살아가는 게 최선이다. 분명한 건 보다 나은 삶을 추구한답시고 인생을 낭비하는 우를 범해서는 안 된다는 점이다. 걱정하지 않으려 궁리하면 할수록 내 남은 시간만 줄어들 뿐이다. 그 시간만 아껴도 우리 인생은 두 배로 늘어날지도 모른다.